社員ゼロで

1億円を生み出す
最強の稼ぎ方

The most powerful Way to Make 100 Million Yen with Zero Employees

山本佳典 Yoshinori Yamamoto

まえがき――新時代を生き残るには「チーム」を作れ！

「収入が不安定になるのが怖い」
「営業も事務も広報も全部ひとりでやるのが大変」
「規模を大きくしたいけど、人件費やオフィス賃料はかけたくない」

こうした**フリーランス、ひとり社長として起業した際に必ずぶち当たる悩みは、「チーム」を作ることですべて解決**します。

これからの新時代をフリーランスとして生き残るためには、「チーム」を作ることが必須。私は、この**フリーランスを組織化した状態のことを、「チームランス」と呼んでいます。**

私は、これまで6年で2000名以上のフリーランスの起業支援を行い、たくさんの起業家を輩出してきました。
その間に、新型コロナウイルスショックの影響で、働き方・生き方の常識は一変。これまでの常識「正社員で終身雇用」が当たり前だったところから、「複業の加速化・テレワーク」が今や働き方のスタンダードとなってきました。

この本を手に取っていただいているあなたも、きっとそういった世の中の変化などから自身の働き方を見直し、フリーランスとして起業しようと思っている、もしくは既にフリーランスとして活動をしていることでしょう。
ただ、冒頭申し上げた通り、フリーランスとして独立・起業して活動する中で、「収入が不安定」「あらゆる業務をやるのはすべて自分」「プライベートの時間がない」「コストをかけられない」など様々な壁が立ちはだかってきます。

残念なことに、せっかくフリーランスとして起業しても、多くの人がそのような問題を解決できないで悩んでいる場面を私はたくさん見てきました。

ひとりで動いている人は、売上の天井もすぐに達し、手が足らず時間に追われる毎日で、プライベートもボロボロ。

一方で、資金を投下して正社員を雇用しオフィスも借りてやっている人は、収支が回らなくなり倒産へ……。

そんなフリーランスや経営者の失敗要因を分析して実践した結果、**私の会社は、社員ゼロの完全フリーランス組織で200名以上をマネジメントし、グループ年商5億円を達成、その組織作りの手法を指導したクライアントたちも、フリーランスのチームとして大きく成長することができました。**

本書は、以下の内容になっています。

第1章では、これからの時代に、なぜ「チームランス」が求められるのかというのを、世の中の経済情勢の変化などから解説していきます。

第2章では、起業してフリーランスになったとしても、じつはフリーランスという働き方には落とし穴があるということをお伝えすることで、対処すべきリスクやぶち当たる壁に対して学んでいただきます。

第3章では、第2章で出てきたようなリスクやデメリットを、「チームランス」を組むことによってすべて解消できるという「チームランス」の可能性を知っていただきます。

第4章では、そんな「チームランス」も正しい考え方で作らないと失敗するという、具体的な「失敗パターン」をご紹介します。

第5章では、あなたの考えているビジネスも「チームランス」として拡大できるのか？というのを複数のケーススタディを通して考えていただきます。

第6章では、実際に「チームランス」を作るうえでの手順をステップ化していますので、順番に取り組んでいくことで、あなたのビジネスをチーム化できます。

最後に第7章では、「チームランス」を動かして実際にどんな稼ぎ方ができるのかという、具体的な稼ぎ方について5つの戦略にまとめました。

本書が、あなたのビジネスを飛躍させ新時代を生き残る一助となることを願っています。

２０２３年１月吉日

山本佳典《やまもとよしのり》

社員ゼロで１億円を生み出す最強の稼ぎ方

Contents

第1章 「チームランス」の時代がやってくる

第2章　「ひとり」で働くことの不都合な真実

第5章　「チームで稼ぐ」成功の方程式

第6章　無敵のフリーランスになる方法

第7章　ゼロから1億円はこうして生み出せ

装丁　山之口正和（OKIKATA）
組版・図版　株式会社RUHIA
企画編集協力　遠藤励起

第1章

「チームランス」の時代がやってくる

会社に依存するビジネスパーソンは淘汰される時代が来た！

かつての日本は、大企業に入れば将来は安泰だと言われていました。終身雇用制度や年功序列制度によって長期的、安定的な収入が約束されていたため、個人よりも会社の立場が強く、「個人は会社のために尽くすもの」とされていました。

しかし今、大手企業でも大規模なリストラ、働き方改革、ＡＩの台頭など、働き方を見直さざるを得ない状況に激変。会社があなたを一生守ることはなくなりました。

そこに追い討ちをかけるように、新型コロナウイルスショックによって、オフィス出勤を禁じ、「テレワーク体制」が当たり前となり、働き方の常識がガラッと変わることとなりました。

また、大手企業でも「副業解禁」が始まり、２０２２年6月に厚生労働省は、「副業に制限を設けるなら理由の公表を求める」方針を表明するなど、国としても「副業・複業」を推進する動きとなり、私たちは自らのキャリアを自分で掴んでいくことがもはや不可欠となっています。

つまり、これからは「会社に依存するビジネスパーソンは淘汰される時代になる」と言えるでしょう。

「個の時代」の落とし穴

そんな「個の時代」が到来したと言われ始めて久しく、感度の高いビジネスパーソンから続々と複業や独立・起業の道へとキャリアチェンジを始めています。

2021年日本のフリーランス人口は、1670万人と全労働人口の24％に達し、経済規模も28兆円と過去最大となりました。「複業・起業するのが当たり前だよね」と言われる日が到来するのも、もはや時間の問題と考えられます。

ただ、私がこの本であなたに伝えたいのは、「複業・起業して個人で活動すればうまくいく」ということではまったくありません。

むしろ、「個の時代だ！」という言葉を盲信し、個人でビジネスをしようということに、ある種の危険すらも感じています。

これまで1500名超の起業家を支援してきた結論として、**むしろ、フリーランスと**

図 1-1　「個の時代の落とし穴」

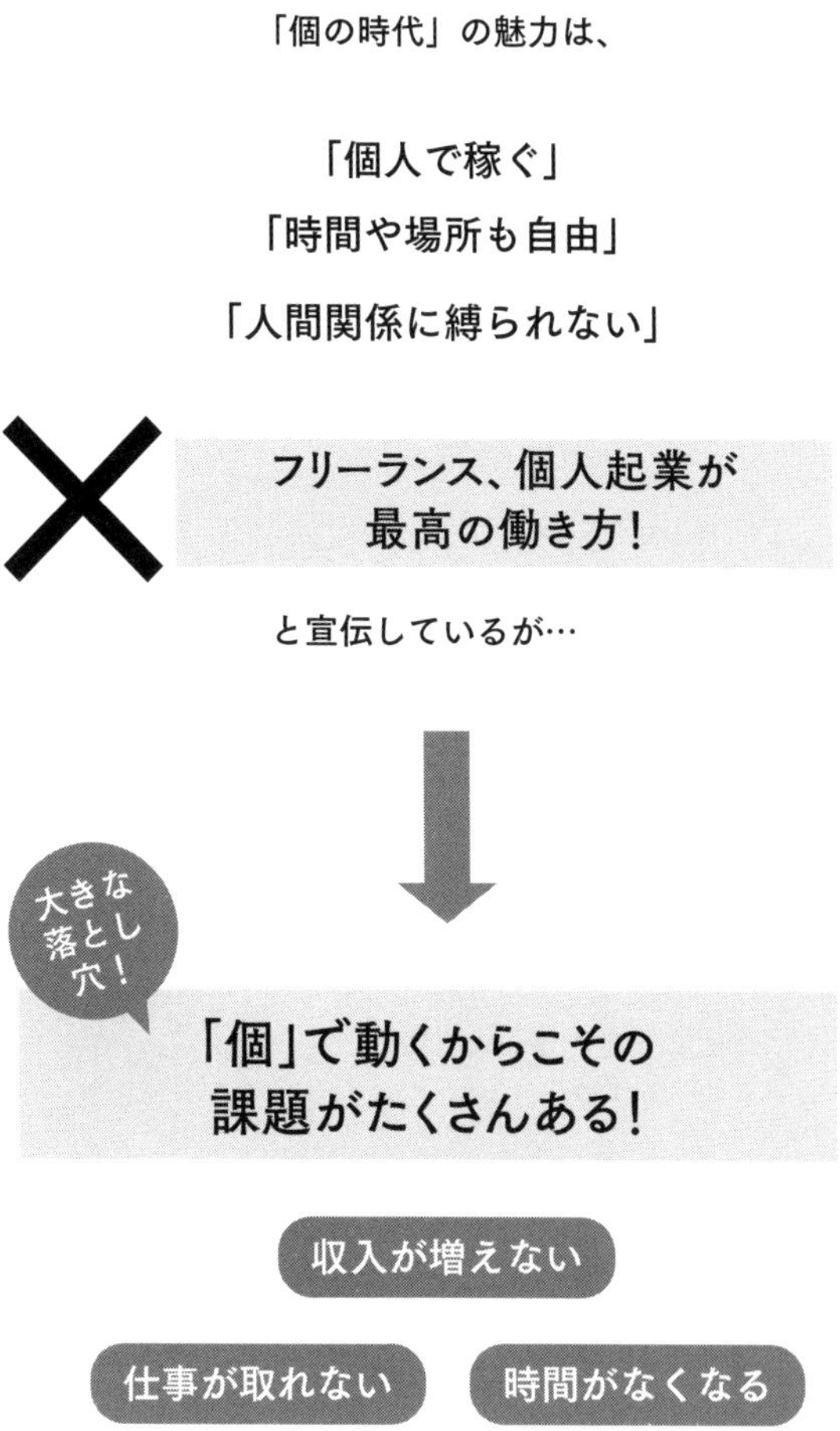
「個の時代」の魅力は、
「個人で稼ぐ」
「時間や場所も自由」
「人間関係に縛られない」
フリーランス、個人起業が
最高の働き方！
と宣伝しているが…
大きな
落とし
穴！
「個」で動くからこその
課題がたくさんある！
収入が増えない
仕事が取れない
時間がなくなる

して「個」で動き、一つの仕事をすることにも、じつは考えるべき問題がある、というのが複業・起業のリアルなのです。

ネットを検索してみても、ビジネス本を読んでみても、「個人で稼ぐ時代だ」「時間や場所や人間関係にも縛られない自由な働き方だ」と、いかにもフリーランスとして個人で働くことが最高の働き方のように喧伝していますが、**誰も語ってくれない「見えない実情」**が隠されています。

つまり、フリーランスとして個で活動するうえで障壁となるものとして、**「収入が安定しない」**という悩みを筆頭に、複業・起業が推奨されたことによって、ライバルが増え**「仕事が取れない」**という悩みなど、**「個」で動くからこその課題**がたくさんあるということを知っておかないといけません。

私は、これからは、フリーランスとして活動するならば、もはや「個の時代」すらも終わりを迎え、**「個」の集合体である「チーム」の時代が到来する**と考えています。

変化の大きな時代には「つながりと助け合い」がより重要になる！

さて、先ほどお伝えした「チームが大事だ」という私の考えを聞いて、もしかしたらこんな疑問を感じた人もいるのではないでしょうか？

「せっかく自由に複業したり会社から独立したりと個人で活動したいと思っているのに、なぜ、わざわざチームにする必要があるの？」

「誰かと仕事をするなら、会社にして従業員として雇えばいいのでは？」

この疑問を解消するために、大前提として重要なことを最初にお伝えします。

これからの時代を生き抜くうえで、これまで以上に大切になってくるのが、

「つながりと助け合いが、より重要な時代になる」

ということです。

「ＶＵＣＡ（ブーカ）の時代」と呼ばれる、先が見通せない変化の大きな時代に突入しており、流行りの知識やスキルを身につけても、数年後にそれがビジネスの場で生きた強みになるかはわかりません。

Ｗｅｂ３・０と呼ばれるブロックチェーン技術を応用したデジタル技術面・ビジネス面での革新も起こり、この数年で社会常識は大きく変化する様子を見せています。

人生１００年時代、働く期間が長くなる一方で、食っていけるスキルや知識、ビジネスモデルなどは常にアップデートし続けなければならないのです。

どんなに優秀な人でも、ひとりですべてに対応し続けることは現実的に不可能です。いくら新たな学びや経験をしたところで、たったひとりの頭だけでは限界があります。

ビジネスにおける「つながり」というのは、大きく分けて2種類に分類されます。

①強いつながり

②弱いつながり

家族や友人、日頃から接する頻度の高い同じ会社の同僚・先輩・上司というのは、「強いつながり」に含まれます。

気心の知れたつながりは、精神の安定や安心というところではメリットがあるのですが、その一方で性格や価値観が似ているからこそ、このような強いつながりの関係性が保たれているということもあり、似たような情報が流れやすく、新しい刺激は受けにくいのは事実であり、**仕事においては新たなアイデアを生み出すことは難しい**ものです。

「弱いつながり」を多く持つことで、新たな価値を生み出す!

強いつながりと比較して、会う機会やコミュニケーションの量が少ないのが「弱いつながり」です。じつは、**これからの時代、ビジネスにおいて重要になってくるのが「弱いつながり」**です。

というのは、「違う価値観に触れることができ、予想もしない新鮮な情報がやり取りされ、新たな気づきや視点を得られる」からです。

また、相手との関係性や立場により相談しにくいことも、「弱いつながり」であれば、気兼ねなく相談できるメリットもあります。

こういった「弱いつながり」がまさしく、本書のテーマである**「フリーランスのチーム」**なのです。

普段はそれぞれが自由に動いているフリーランス、起業家であるという側面を持ちな

図1-2　「弱いつながりを多く持つことで、新たな価値を生み出す！」

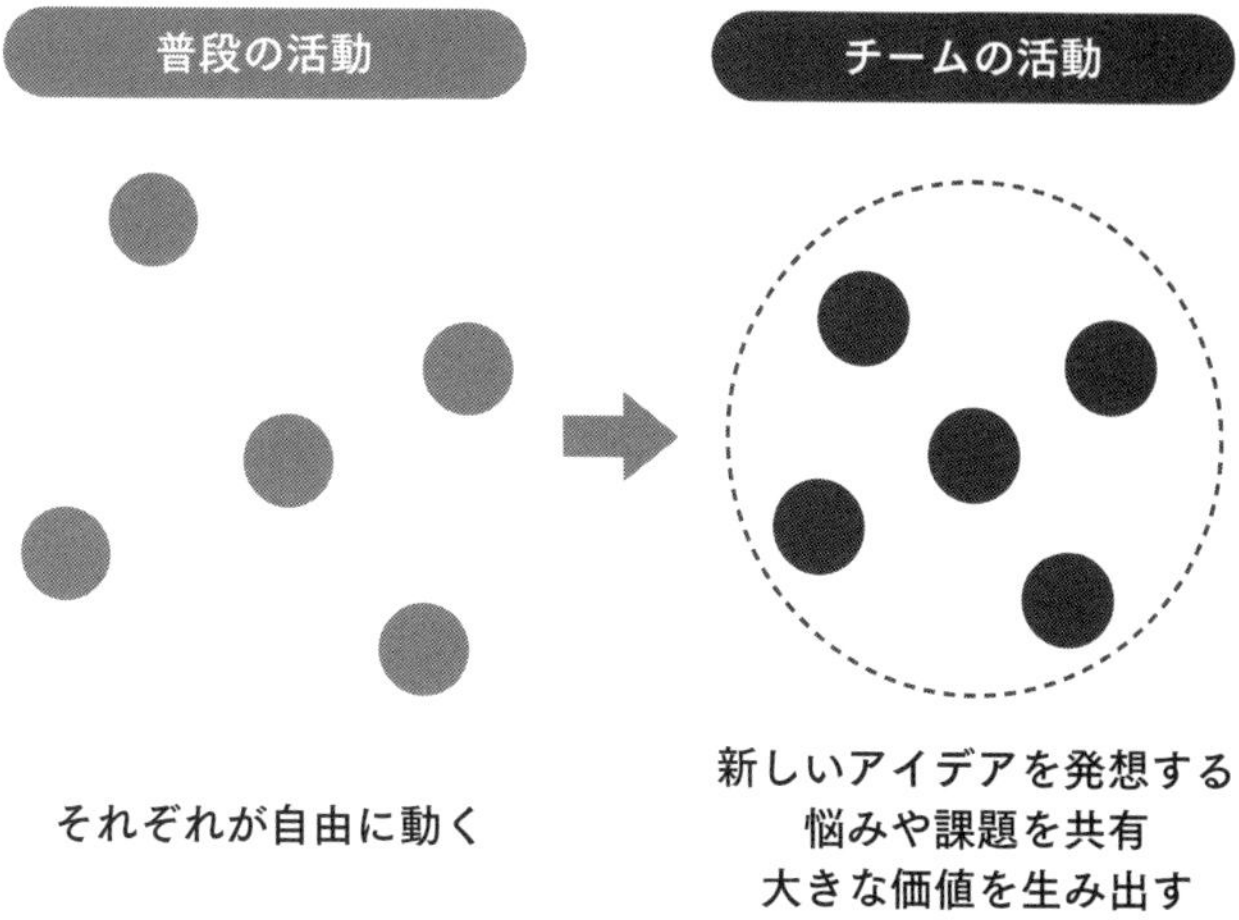

がら、協働のプロジェクトを行う際には本気でつながる。

そうすることによって、個人だけでは生み出せないような新しいアイデアを発想したり、大きな価値を生み出すことができ、自分ひとりでは解決できないような悩みや課題を共有できていくのです。

「イノベーションの父」とも呼ばれる経済学者ジョセフ・シュンペーターが「New Combination（新結合）」として80年以上も前に提唱していますが、「イノベーションというのは、既存の知と知の新しい組み合わせで起こる」と言っています。

「弱いつながり」をたくさん持っている人というのは、普通は手に入らないような情報や考え方を人より多く入手でき、イノベーションを起こすチャンスが多くあるということです。

私がかつて在籍していた銀行業界をはじめ、大企業でも副業解禁や週休3日制などが導入されていますが、これもじつは「弱いつながり」を作るための施策なのです。

人が固定化されている会社から、あえて外に出して「新たな知」に出会うきっかけを与え、会社に新たなイノベーションを起こすのが目的なのです。

会社に在籍しながら副業をするにしても、独立して活動をするにしても、これからの時代は「弱いつながり」のチームを強くしていくということが、様々な観点から見ても、生存戦略として有効と言えるでしょう。

フリーランス人口は年々増加！
「あなたのライバル」は増えていく！

さて、前述したように、２０２１年日本のフリーランス人口は、１６７０万人と全労働人口の24％に達し、経済規模も28兆円と過去最大となりました。

働き方改革を契機として、副業・起業を始める人たちは増加しています。さらに、テレワークの普及により、場所と時間の制約がなくなった今、二拠点居住×副業、２社の正社員、フルリモート社員×海外移住など、自分に合ったワークスタイルが実現できるようになりました。

こうなってくると、フリーランスと会社員の境目は徐々にあいまいになり、フリーランスは自身のスキルの「差別化」を考える必要があります。あなたと同じようなキャリアやスキルを持っている人材が、ますます副業・起業への参入が増加している、つまりは**「あなたのライバル」が増えていく**、ということなのです。

たとえば、元々銀行員でファイナンシャルプランナーの資格を持って仕事をしているAさんという人がいたとします。将来独立を考え、まずは副業から独立系のファイナンシャルプランナーとして活動しようと思い、人脈を広げようと、経営者やビジネスマンが集う交流会に参加したとしたら……。

そこには、すでに「元銀行員のFP」と名乗っている人たちがごまんといる、というのが事実です。

特に顕著な例として、プログラミングスクールでプログラミングを学んでみた、Webデザインを学んでみた、そこからフリーランスになろうという人がとても急増していますが、SNSを開いてスクロールすれば、そんな人たちがうじゃうじゃといる状況ですよね。

あえて表現するなら、世はまさに**「フリーランス戦国時代」**。どうやって生き残るのかを考え、明確なアクションを取らなければならない時代に突入しているのです。

では、どうすればライバルと差別化をし、生き残っていけるフリーランス、起業家となっていくことができるのか？

その一つの答えとして、**「フリーランスでチームを組む」**という戦略が考えられます。異なる特性・スキルを保有するフリーランスとチームを組むことで、仕事の幅が広がり、フリーランスとしての価値を高められます。

差別化とは別の言い方をすれば「希少性」があるとも言えるのですが、**希少性を生み出すためには、「掛け算」をすればいい**のです。

仮にあなた自身の希少性が100人分の1人の希少性だったとしても、3人のチームを組み、それぞれの希少性が同様に100人分の1人の希少性であれば、掛け算すれば、チームとして「100万分の1」の希少性ある価値を手に入れることができるのです。

図 1-3 「フリーランス人口は年々増加！あなたのライバルは増えていく！」

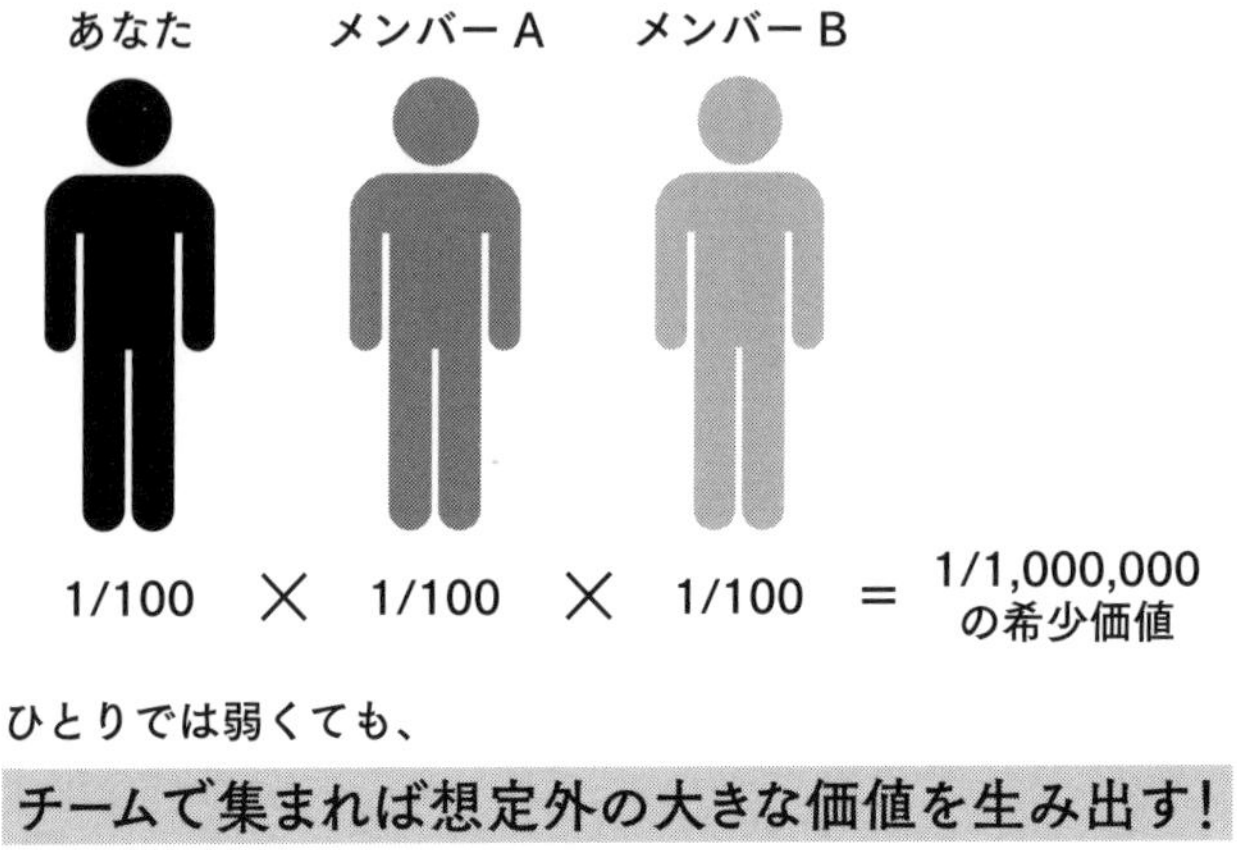
あなた
メンバー A
メンバー B
1/100 × 1/100 × 1/100 = 1/1,000,000
の希少価値
ひとりでは弱くても、
チームで集まれば想定外の大きな価値を生み出す！

「3人寄れば文殊の知恵」ということわざがありますが、意味としてはまさに「特別頭の良い者でなくとも、3人集まって相談すれば良い案が出るということ」です。

ひとりでは弱くても、チームで集まれば想定外の大きな価値を生み出す可能性があるということです！

フリーランスの最大のメリットかつ弱点が、「ひとり」であること

「フリーランス、起業家になれば、何にも縛られることなく〝ひとり〟で仕事ができるんだ！」

これからフリーランス、起業家を目指そうとされている方は、きっとこんなふうにフリーランスとしての生き方を思い描いていることでしょう。

フリーランス、起業家として生きることの最大のメリットは、まさしく「ひとり」であることです。本書を読んでいるあなたも会社員として働いたことがあれば、きっと感じることだろうと思いますが、「もっと自分の裁量で仕事がしたい」「人間関係のストレスをクリアにしたい」等、こんな感情を抱くのは当然のことだと思います。

働き方がますます自由化され、ビジネス書やＳＮＳ・ネットではフリーランスとして

活動するための情報があふれ、「ひとり」で仕事ができる方法はもうすでに手の中にあるという状況です。

そんな夢のある「ひとり」で働けるフリーランスですが、じつは**「ひとり」であることが最大の弱点でもある**、という事実をあなたは知っておかなければなりません。

詳しくは第2章でたっぷりとお伝えしますが、**フリーランス、起業家として「ひとり」で活動することを私はお勧めしません。**

もしあなたが、すでにフリーランス、起業家として活動している人であればきっと頷いていただけると思いますが、フリーランス、起業家として「ひとり」で動くというのは想像を遥かに超える大変なことの連続です。

〝自由と責任は表裏一体〟です。フリーランスはすべて自己責任です。会社がやってくれていたような業務も、すべて自分ひとりで行わなければなりません。そういった大変な苦労や葛藤が待ち受けているということをわかっておく必要があります。

もし、自分ひとりですべてを抱えていたとして、自分では解決できないようなことが起こってしまったとき、あなたはどうしますか？　きっと誰かに相談すると思います。もちろん、すぐに相談できるような人がいれば安心ですが、解決を急がないといけないような事態が起こったときには困ります。

そうならないよう、言わば「転ばぬ先の杖」ではありませんが、チームを作っておくことで、事態が悪化する前に早急に対処することも可能でしょう。

「なかなか売上が上がらない……」「この事務手続きどうしたらいいんだっけ？」「来週取引先にプレゼンが控えているけど、良いアイデアが浮かばない……」そんなふと出てきた悩みでも、チームを作っていれば、すぐに解決できるでしょう。

「あぁ、自分がもうひとり欲しい」は、叶うことのない幻想

「自分ひとりでは、そろそろ限界を感じてきた……」

フリーランス、起業家としてある程度の経験と実績を積んできた人は、このように感じるシーンがやってくるはずです。

ビジネスモデルに工夫をこらしたり、顧客単価を上げるなどすれば、たったひとりでもある程度の売上を計上することは可能ですが、人間には1日24時間という平等に与えられた時間の中では、できることの限界があります。

そうすると、**成果＝売上の天井がおのずとやってきます**。何をどうやってもその天井を突破できずに悶々とし始め、その一方でやるべきことは山積み。どうしたらいいものか……、そう悩んだ挙句、多くのフリーランスや起業家はこう嘆くのです。

「あぁ、自分がもうひとり欲しい……」

当たり前ではありますが、自分のコピーがもうひとり現れて、仕事をやってくれるというのは物理的に無理な話です。

ただ、そんな無茶苦茶な理想論を願ってしまう気持ちはすごくわかります。だって、単純に自分がもうひとり増えれば、自分と同じスキルや能力を持った人がいてくれます。企画を考えたり、営業をしてくれて売上を作ってくれたり、事務作業をしてくれたりと、自分がひとりで抱えてやっていた仕事を自分と同じ水準でやってくれるわけですからね。そんな最高なことは他にありません。

繰り返しになりますが、そんなことは無理、幻想なのです。過去の私自身の話になりますが、私も同様に自分のコピーを作ろうと必死になっていた時期がありました。

どうすれば自分のコピーができるのかを必死に考え、自分がやっていることを1から10までマニュアルに丁寧に落とし込み、研修体制も整え、報酬体系もバッチリと決め、「私の事業ノウハウをコピーしたい方募集！」と大々的に告知すると、ありがたいことに募集が殺到しました。

「よし、これで自分のコピーができればやっと業務が楽になるし、業績アップ間違いなし！」と喜んだのも束の間、結果としては散々なものとなってしまったのです。

まずの失敗としては、**「いくらコピーを作ろうとしても、どこまで行っても自分の劣化版に過ぎない」**という結果が待ち受けていました。

もしあなたも同じように、自分の業務をまったく同じような水準でやってもらおうとした経験があるなら痛感されていると思いますが、「自分のコピーが欲しい」と思うような人はきっと能力が高く、コピーに対して求めるレベルも高いはずです。

ですので、**もしあなたと同じ業務をさせようものなら、「やっぱり自分がやるほうがスピードも速いし、品質も高くできる」と感じて、結局自分でやってしまうという結論を出してしまう**でしょう。

こういったことから、もしあなたが自分ひとりでの限界を感じているのであれば、あなたのコピーを作るのではなく、**「あなたと異なる人」とチーム編成を組む**のが正解です。

具体的な方法については、後の章にて詳しく解説します。

「1＋1＋1＋1＝4じゃなくて11になる」のがチームの可能性

ここまでを通して、ひとりではなく、「チーム」で仕事をすることがいかに重要なのかということが徐々に伝わってきたかと思います。チームのメリットというのは、シンプルに言うと、**「ひとりでの限界を突破し、可能性をたくさん広げられる」**ことです。

たとえば、ここに4人（Aさん、Bさん、Cさん、Dさん）のフリーランスのチームがあったとします。あなたに問題です。このチームでの組み合わせは何通りできるでしょうか？　考えてみてください。

正解は、見出しでネタバレしていますが「11通り」です。AとB、AとC、AとD、BとC、BとD、CとD、AとBとC、AとBとD、AとCとD、BとCとD、AとBとCとDの11通りです。組み合わせ方によって、このチーム内では様々な可能性が生まれるということですね。

２人で膝を突き合わせることによって生まれる可能性もあれば、４人で様々な意見を交わして大きな可能性を生み出すこともできる。

たとえば、２人であぁでもないこうでもないと話をして結論の出なかったことも、そこに別の１人の新しい視点が入ることによって、一瞬にして物事が解決するということもあるでしょう。

もっと具体的なビジネスに落とし込んで話をしてみましょう。たとえば、私の会社では、各専門分野のコンサルタントがプロジェクトチームを組んでクライアントに入っていく、「チームコンサルティング」体制を取って運営をしています。

とある企業にコンサルティングに入るとします。たったひとりでコンサルティングに入る場合と、チームでコンサルティングに入る場合だと、どちらがクライアントの問題を解決できる可能性が広がるでしょうか？　誰がどう考えても、後者のチームで入るコンサルティングのほうですよね。

具体的には、仮に専門分野がそれぞれ人材採用、マーケティング、財務などのメンバーがチームを組んでいたとします。クライアント企業からの相談を人材採用の担当メンバーが受けていたとして、「採用にかける予算はどれくらいにしたらいいだろうか？」という財務面に突っ込んだ相談があったとすれば、すぐさまチーム内の財務担当メンバーが対応にあたれば、クライアント企業の悩みはすぐに解決することができます。その逆パターンも然りです。

チームを組んでビジネスをするということは、自分たちの限界を突破するだけでなく、顧客側にとっても大きなメリットがあるのです。

図 1-4 「1+1+1+1=4 じゃなくて 11 になるのがチームの可能性」

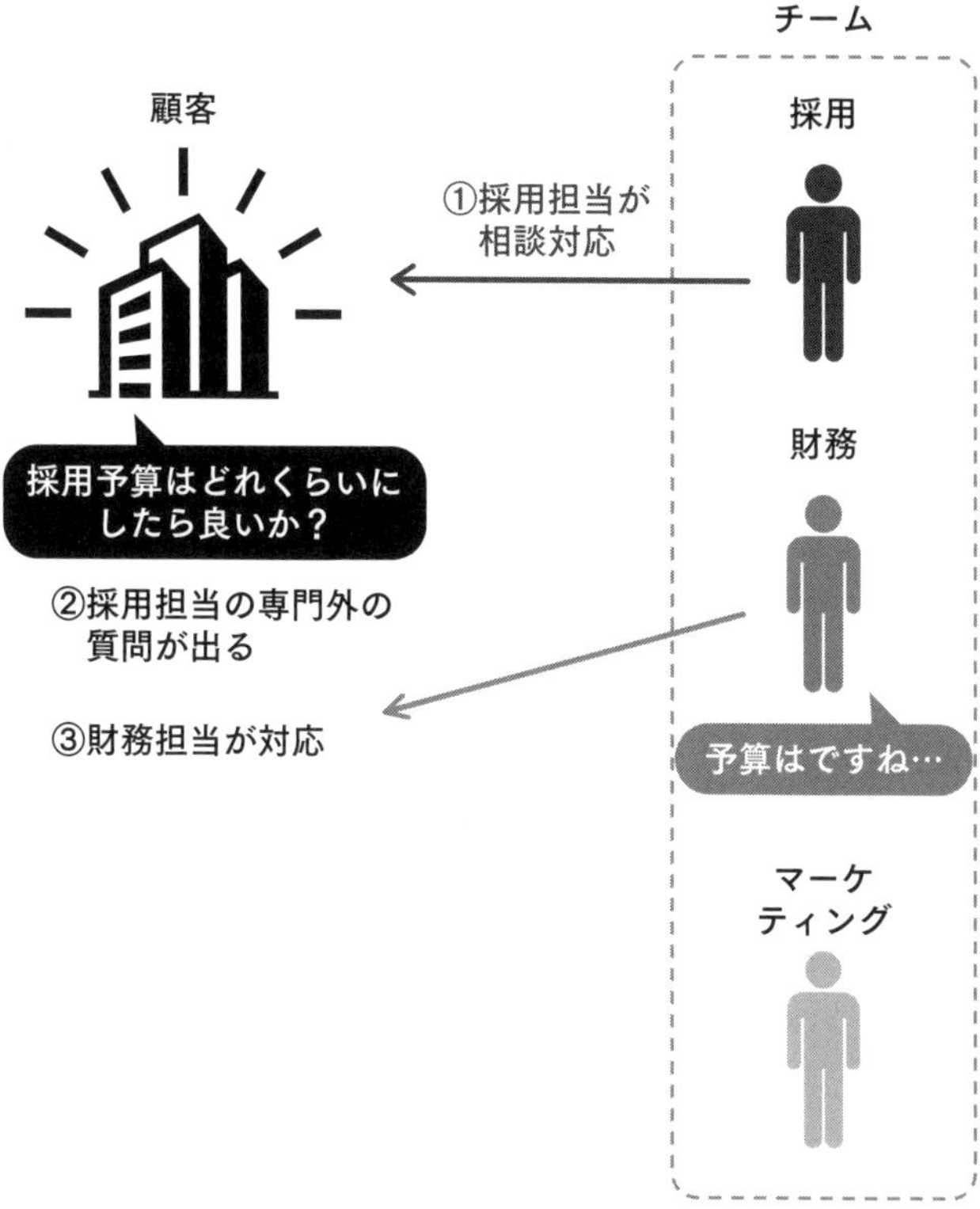

自分ひとりの限界を突破し、
顧客メリットも最大化できる！

チームを作ることでフリーランスのすべての悩みは解決する！

断言しますが、**チームを作ることでフリーランスのすべての悩みは解決します。**もちろん会社員であろうが、どんな働き方であろうが存在しますが、フリーランス、起業家として活動していくと、たくさんの悩みを抱えることになります。その一つひとつの悩みを解決する方法というのは様々存在しますが、それらすべてを包括的に解決できる方法というのはなかなかありません。

お金をかけて広告を出稿すれば、確かに集客は増えて売上は上がるかもしれません。ただ、それだけの金銭的な広告コストがかかってしまいますので、誰もが手が打てる方法ではありません。事務作業をなくそうと事務員を雇おうと思えば、もちろんそこには人件費がかかってしまいます。

もし、そこでチームを組んでチームとして集客に当たれば、集客効率は上がりますし、事務的な能力が高い人をチームメンバーとして率いることができれば、雇用はせずに事務業務を任せることも可能です。

ただし、**フリーランスでチームを作るということは簡単かというと、気をつけるべき点もたくさんあります。**

もしかしたらあなたも、これまでフリーランスや起業家同士でチームを組んでビジネスをしようと試みたけどうまくいかなかった、という経験をされたことがあるかもしれません。

もちろん、この**私自身も起業した初期から何度となくチームで仕事をしようとして頓挫した経験をしてきました。**チームでやろうと言ったものの全然話が進まなかった、理想としていた成果がまったく出ない、チームメンバーと揉めて縁を切った……、そんなことが山ほどありました。

「もう、フリーランスや起業家同士のチームで仕事をするなんてやめよう」

そんなふうに何度も諦めては、個人プレーに戻り、また結局自分ひとりの限界を感じ、またまたチームを作ろうとして失敗してやめて……の繰り返しをしてきました。

そんな血を吐くほどの苦労をしてきたからこそ編み出せたチーム作りの考え方をまとめたのが、本書の内容になります。

これからフリーランス、起業家を目指す人にとっても、すでに副業・起業をしていてチーム作りを検討している人にとっても、きっとあなたひとりの限界を打ち破り、大きく可能性を広げてくれるバイブルとなると思いますので、ここから先をしっかりと読み進めていってください。

第2章

「ひとり」で働くことの不都合な真実

会社を飛び出す前に気をつけるべき「起業の落とし穴」

あなたに絶対にやってほしくないことがあります。それは、**「無計画に勢いよく会社を辞めてしまうこと」**です。

様々な魅力的な情報に触れることで、フリーランスに憧れを持ち、会社を辞めてしまうという人がここ最近特に急増していますが、**「辞めてしまった後に知ってしまう事実」**というものが存在します。

第1章でもお話ししましたが、フリーランス、起業家というのは、「ひとりである」「自由である」というのがとても魅力的でしょう。現状の働き方にしがらみを感じている人にとっては、自らを解放する手段として誰もが夢描く働き方だと思います。

しかし、そんな自由を手にできることの裏返しにあるのは、**「自分はたくさん守られ**

てきた」という事実です。いくつか例をあげていきましょう。

まず、一番大きなことは**「収入面の保証」**です。会社員というのは、決まった日付に決まった金額が給与として会社から振り込まれるという点で、収入面はしっかりと守られています。

その一方で、フリーランスにはそのような**「約束された収入の保証」というのはありません。**なかなか仕事が取れないこともあるでしょうし、顧客や取引先からきちんと報酬を支払われないという「未入金リスク」というのもザラにあります。「仕事の割に給料低いんだよな」という愚痴も、そのような不安定さと比較すれば可愛いものかもしれませんね。

また、**「社会的信用が低い」**というのもかなり大きな問題です。雇われているときには当然のようにできていた、クレジットカードを作る、ローンを組む、部屋を借りるといったことができなくなります。

「〇〇会社の営業の人間です」と言えば話を聞いてくれた顧客や取引先も、会社の看板がなくなったことで会ってくれなくなるということもあります。日本で生きている以上、「信用」は大切であり、個人で働くことは大事な信用が一気になくなってしまう、ということを意味します。

すみません、少しリアルすぎる話をしてしまったかもしれませんが、大事なことなので、あなたにはきちんと伝えたいと思って正直に伝えました。その他にも、会社員でいることによって守られていることはたくさんあります。

その事実を知ったうえで、フリーランスとして活動するあなたが何をすべきなのかというと、**「自分を守る策を取る」**ということです。

どうすれば収入の不安定さを回避することができるのか、個人としての信用力が低いという問題をどう回避すればいいのか、自分ひとりの能力ではできないことをどうすればできるようになるのか……。

あなたがもし、このような壁にぶつかっている真っ最中であれば、考えてみてください。どうすれば自らを守ることができるでしょうか。

完全独立フリーランスの平均年収は、正社員よりも低い現実

「フリーランス、起業家になれば、今の会社員の給料よりも稼げるんだ！」

そう期待して会社員からフリーランスに転身する人もかなり多いことでしょう。あなたはどうでしょうか？

これからフリーランスを目指している方であれば、期待に胸膨らませているかもしれませんし、既にフリーランスとして活動をしていて、これから私が伝えようとしている現実を既に実感しているという人もいるかもしれません。

「年収300万円以下」

とある調査によると、フリーランスの**56・3％**がこのように回答したと言います。国税庁の「民間給与実態統計調査」によると、会社員の37・7％が年収300万円以下と

いうデータと比較すれば、**年収３００万円以下の人が過半数を占めるフリーランスは、決して経済的に豊かだとは言えない状況**なのです。

そのうえフリーランスは、税金や社会保険料の支払いをすべて自分で管理しなければなりません。会社員時代には会社が負担してくれていた様々な支払いが、フリーランスになった途端、一気に自分の負担になるのです。

年収の低さや、会社員の頃にはなかった諸支払いの手間や負担などを考えると、「フリーランスになることによって年収が上がると期待してしまうのは危険だ」ということがわかります。

ここでもう一つ、不都合な真実をお伝えしましょう。**会社員では高給取りのエリートサラリーマンだったという人も、フリーランスになると会社員時代の収入よりも大幅に下がってしまって稼げないという人がたくさんいる**のです。信じたくないかもしれませんが、紛れもない事実です。

では、なぜこのようなことが起きてしまうのでしょう。

それは、**「会社員として仕事ができることと、フリーランスとして稼げるというのは別モノ」**だということです。

詳しくは、この後にお伝えしていきますが、シンプルに言うと**「フリーランスで稼げる人というのは、ひとりで何でもできる人」**なのです。

会社というのはたくさんの部署が存在していますよね。商品開発、マーケティング、人事、営業、事務、経理、総務、法務……などが全体で連携することによって成り立っています。

仕事が成立するというのは、このような様々な業務が滞りなく動くことによって回っており、会社はその部署に適性のある人材を配置しているからこそうまくいっているわけです。

一方で、完全ひとりのフリーランスの場合はどうでしょうか。会社では分業していた業務を自分ひとりでやらねばなりません。

適性が自分になくても避けられないのです。会社員として事務のスペシャリストだったとしても、営業スキルが身についていなければ顧客獲得ができず売上が立たない、もしくは安価でしか受注することができません。

個人で仕事をするということは、このような理由で正社員よりも難しい状況に飛び込むということであり、収入面にも影響が出るということなのです。

「フリーランス、ひとり社長」という働き方の5つのデメリット

さて、ここまでお伝えしてきたように、フリーランス、ひとり社長という働き方は、思い描いた夢を打ち砕いてしまうかもしれないほどの困難が多く待ち受けています。

ここからは、さらに具体的に「ひとり」でフリーランスとして活動するうえでのデメリットを大きく分けて5つ深掘りしていくことにします。

この5つのデメリットがわかってしまうと、**いかに「ひとり」で活動することに限界があるのか**、そして本書のテーマである**「フリーランスのチーム」に大きな可能性があるのか**、ということがリアルに伝わってくると思います。

デメリット① 営業も経理も事務も広報も全部自分でやらなければならない

「ひとり」で活動するデメリットの最たるものは、やはりこれでしょう。先ほどもお伝えしましたが、会社では商品開発、マーケティング、人事、営業、事務、経理、総務、法務……などが全体で連携することによって成り立っているものを、フリーランスはすべて自分でやらなければならないのです。

全部を自分でやらなければならないということは、これまで未経験だった業務もゼロから学び、習得する必要があるということです。

フリーランスになって特に多くの人が苦労することが、「集客」でしょう。つまり、自分の商品サービスを買ってくれる見込みのあるお客さまを集めるということになりますが、そもそもなぜフリーランスは集客で悩むと思いますか？

図 2-1　「デメリット①営業も経理も事務も広報も全部自分でやらなければならない」

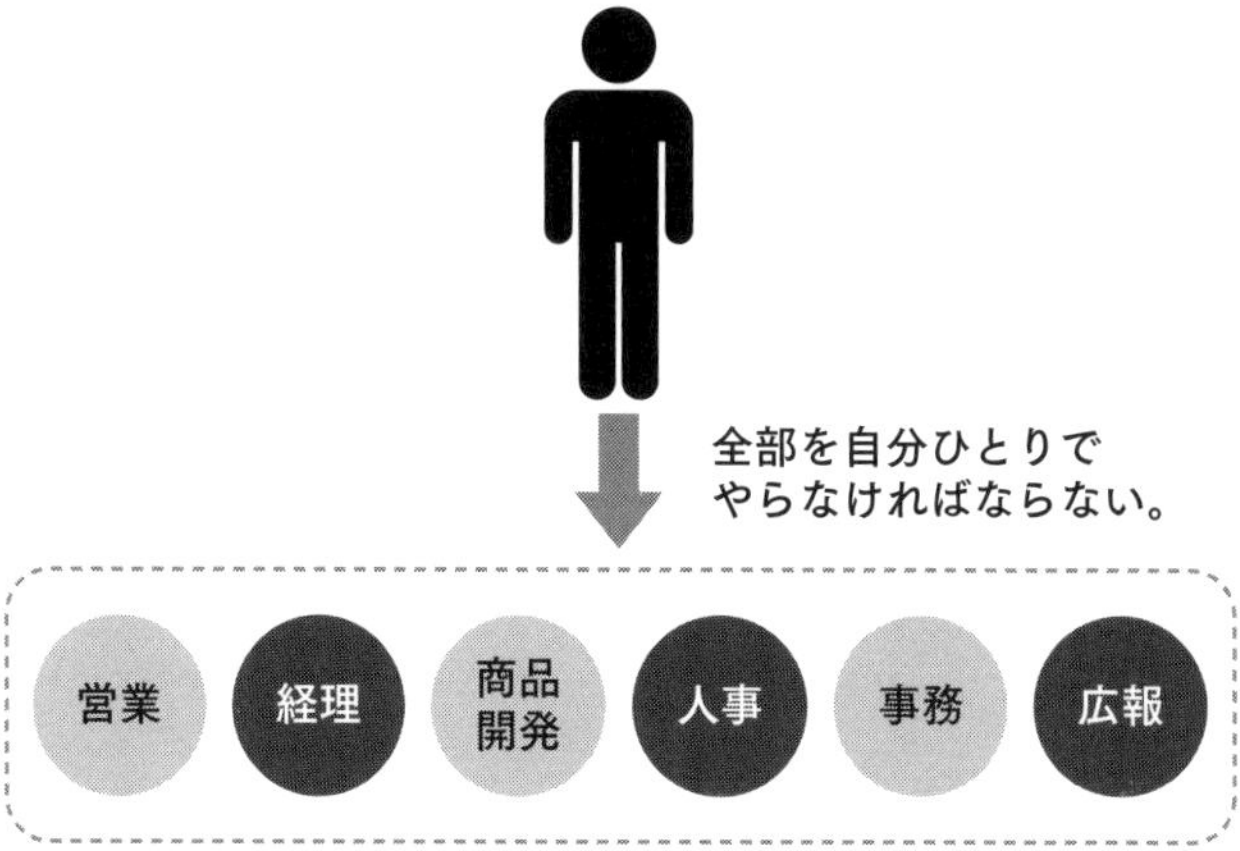

この理由も「ひとり」で活動してしまっていることから起因するのですが、**集客を成功させるには、「発信力」が必要だから**です。仮に「SNSやホームページ」を駆使してウェブから集客をしようと思っても、どちらも頻繁に情報発信を続け、見込み客の目に触れるようにする継続的な努力が必要となります。

また、「紹介クチコミ」で集客をしようと思ったとすれば、紹介クチコミしてくれる人に依頼をすることが大事になってきます。**様々な集客の手法はありますが、どの方法を選択したとしても「ひとり」で行うには労力がかかりすぎてしま**

います。

そしてさらに、経理や事務などのタスクが次から次へと重なっていくと、とてもひとりでは捌ききれません。しかも、もしそういった様々な業務の中に自分が苦手とするタスクがあったとすれば、仕事は遅々として進まず、精神的にもストレスが溜まってくることでしょう。

フリーランスは、このように**あらゆる業務への対応力が求められ、ひとりで悩み苦しんでいる**のです。

デメリット② いい意味で自由、悪い意味で「孤独」との闘い

フリーランス、起業家にとって、「ひとりで自由」であるというのは、その反面「孤独」

と闘わなければなりません。

どんな働き方であれ、仕事をしていれば必ず悩みや課題にぶち当たります。もし会社員であれば、同僚や先輩・上司にすぐに相談することができますが、フリーランスの場合そうはいきません。基本的には、自分でその課題をクリアするよう試行錯誤していく必要があります。

会社で言う同期のような概念もないので、些細な悩みやちょっとした仕事のモヤモヤを吐き出すピッタリな相手を見つけるのも一苦労です。

自身のレベルが高くなっていけばいくほど「孤独感」は増大します。起業したてのときは、どちらかというとまわりの会社員と考え方や行動、悩みの質もまだ似ているのですが、成長してビジネスのステージが上がってくれば、今までつきあっていた人とも話が合わなくなってきます。

すると、途端に人とのつきあいが薄くなり、悩みを打ち明ける相手がいなくなり、その悩みや課題はいつしか本当に誰にも相談ができなくなっていくのです。

ちょっとしたことでもすぐに相談ができるような関係性が作れていなければ、課題解決のスピードは遅くなり、ビジネスの成果は落ちてしまいますし、何よりも精神衛生上よくありません。

デメリット③ 営業が苦手・営業経験なしだと、なかなか売上が立たない

事業を行ううえで最も重要なのは、言うまでもなく「売上を上げる」ことです。売上とは「商品サービスが売れること」で計上されるものですので、商品サービスを売ることができなければ何も始まりません。

前述したフリーランスの年収が低くなるという問題の根本的な理由は、**「商品サービスを売る力がない人が多すぎるから」**だと私は思います。

会社員として営業や販売の経験がない人がフリーランスになって、いきなり自分自身

で商品サービスを営業するというのは、なかなか難しいことです。営業で結果を出すには、適切な方法があり、習得する必要があります。

また、有名なブランド力のある会社に勤めていて、その会社の看板で営業するのと、無名の個人として営業するのでは雲泥の差があります。会社員として営業経験が仮にあったとしても、フリーランスとして営業してもうまくいかないという人がかなり多いのも、こういった背景があるからなのです。

営業は、向いている、向いていないという適性がかなりハッキリしている業務です。生来の性格や資質が内向的でコミュニケーションに苦手を感じる人が営業を行なったとしても、うまくいく可能性はかなり低いでしょう。

「苦手なのであれば、必死で習得すればいい」という考え方もあるかもしれませんが、見方を変えれば、**苦手を克服することにエネルギーを注ぐのは賢明でなく、無理せず自然と結果の出るような得意なことにフォーカスすることのほうが、ビジネスを成功させるうえでは大事**になってきます。

会社の中でも、明らかに営業職の人とその他の部署の人とでは配置される人材のカラーが違うのも、営業という業務が特異であり、適性ある人材が営業職には求められるということです。

以上のことから、フリーランスとして収入を上げるためには、どうすればこの営業という業務の部分をうまくいかせるかに知恵を絞らなければなりません。

デメリット④ 自分の身一つなので、売上の天井がすぐに来る

フリーランスとして活動を続け、ある程度のステージになったときに感じるのは、**「自分ひとりで到達できる売上の天井」**です。

時間も体力も精神力も無限ではありません。限られたリソースの中で、先程お伝えしたようにすべての業務を自分ひとりでこなしているフリーランスは、どこかで自分ひと

りの限界を感じる瞬間がやってきます。

ある程度の売上目標をキープできればそれで満足だ、という人であれば大して問題はないことかもしれませんが、さらに売上を伸ばしていきたい、高みを目指していきたいという方であれば、もどかしい時期になります。

もちろん、自分ひとりだけで限界をさらに突破するための戦略は様々ありますので、早合点して「ひとりの限界が来たからチームにしよう」と思ってはいけません。

せっかくなのでいくつかご紹介すると、一番簡単でかつ有効な売上の限界を突破する方法は**「顧客単価を上げる」**という戦略です。単純に一商品のサービス単価を上げるのはもちろんのこと、大事な考えとしては**「ＬＴＶ（ライフタイムバリュー）＝顧客生涯価値」**を意識すべきです。

ＬＴＶとは、「ひとりあるいは一社の顧客があなたと取引を始めてから終わるまでのトータルで、どれだけ利益を生み出すのか」という意味です。

そのように考えれば、サービス単価のアップだけでなく、同一商品のリピート購入率を上げる、別商品を組み合わせて販売する等、ひとりの顧客に対しての価値提供を繰り

図 2-2 「デメリット④自分の身一つなので、売上の天井がすぐに来る」

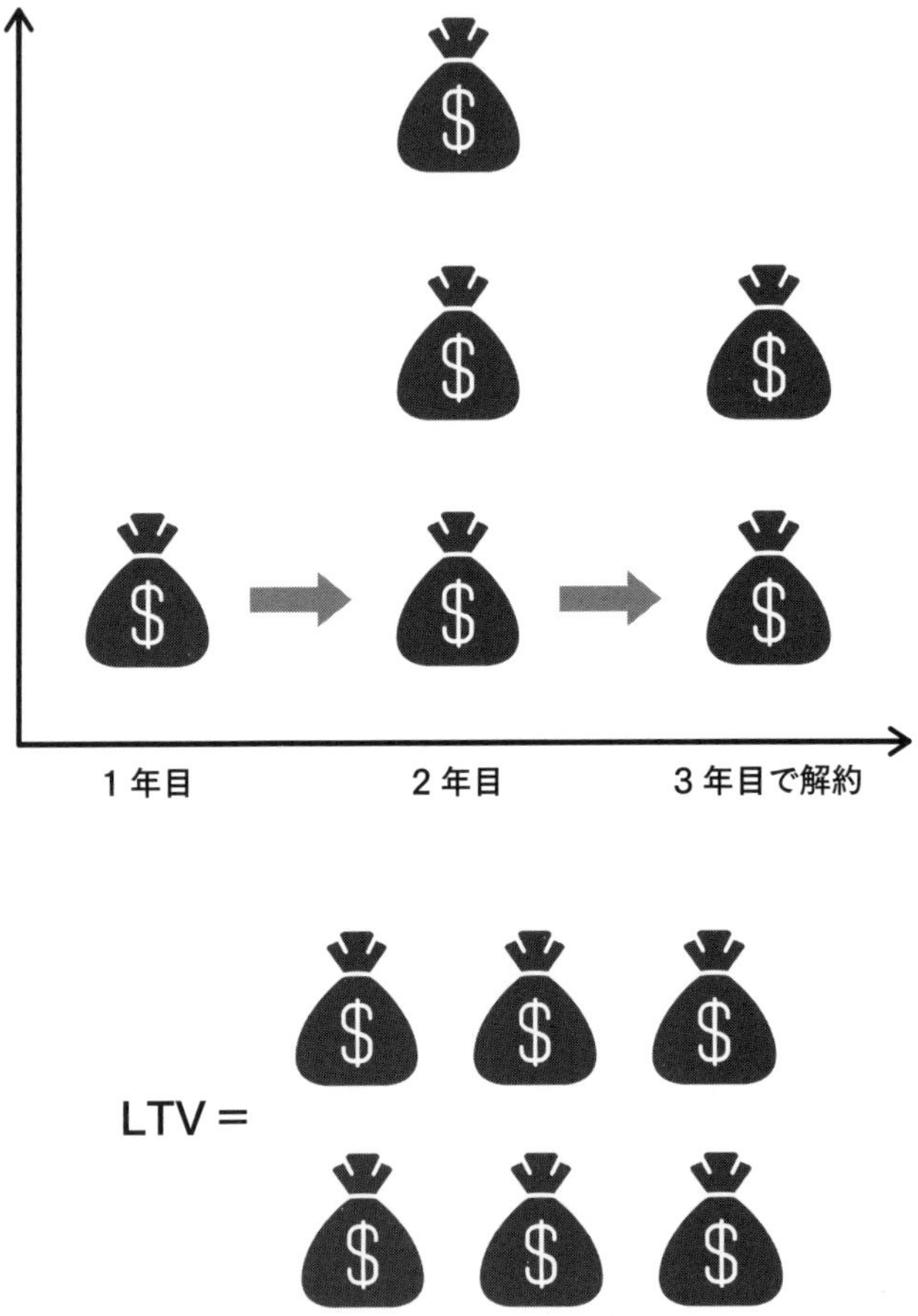

返していくことで状況は一変します。

可能な手段をやり尽くしてもなお、ひとりの限界というのは必ずやってきます。顧客数が増える、取引が増えるなどすれば、やらなければならない工数が増えるのは当然です。それをすべて自分ひとりでやっていれば、やがて売上を上げることに注力できなくなり、天井がやってくるのです。

デメリット⑤ 労働集約型、時間の切り売りでプライベートがボロボロ

フリーランスの抱える独特な悩みの中でも、特に深刻なのは「仕事とプライベートのバランス」の問題でしょう。ほぼ１００％のフリーランスが必ず陥ると言っても言い過ぎではないくらい、よくある問題です。

図 2-3 「デメリット⑤労働集約型、時間の切り売りでプライベートがボロボロ」

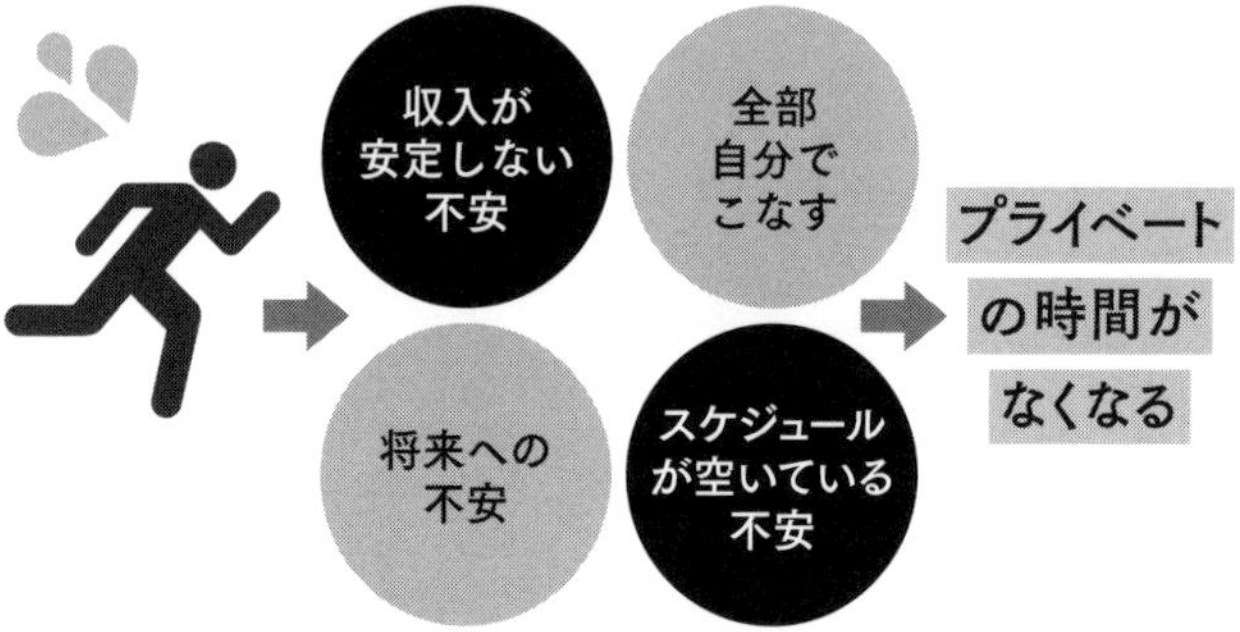

すでにフリーランスになっている人も、これからフリーランスを目指す人も絶対に避けては通れないことなので、しっかりと理解してください。

先程申し上げたように、フリーランスはすべての業務を自分でやらなければならず、また、保障されていない売上を継続して上げられるように常時動き続けてしまいがちです。まるで、泳ぐのをやめてしまうと死んでしまうマグロのように、いつもどんなときでも仕事をしてしまう傾向があります。

これは、銀行から独立・起業した私自身

も体験したのですが、決まった収入が保障されていないことに対して大きな不安を感じると、**「休むことが怖い」**と思うようになるのです。

休んでしまうと売上が立たなくなってしまうのではないか、今は良くても今後のことを考えると、今のうちに休まず仕事を取っていかなければ……。

そう感じてしまうと、会社員時代には週2日休んでいた休日までも仕事を入れ、**「スケジュール帳に空白があると不安になるので、とりあえず埋めてしまう」という一種の強迫観念でプライベートの時間をさらに削ってしまう**のです。

私自身その結果、休日ゼロ、毎日17時間も仕事の予定を入れて、完全に家族をほったらかしにしてしまったことで、離婚の危機に陥ってしまいました。そして、これは私だけに限らず、多くのフリーランス、起業家が自分の時間を失っていくという呪縛にハマってしまっているのです。

「自分が動かなければ売上が作れない」

これがすべての原因です。労働集約型といって、自身のその場の労働力に依存した働き方になっている状況から抜け出さなければ、ずっと負のループは続きます。

＊

ここまででフリーランスとして「ひとり」で働くことのデメリット5つをお伝えしましたが、いかがでしたでしょうか。そのような悩みに陥りたくない、または既にそのような状況になってしまって苦しい……と感じているかもしれませんね。

フリーランス、起業というのは一見華々しく、憧れる働き方だと思いますが、実態としては、このようなデメリットもたくさんあることを忘れてはいけません。

しかし、**「チーム」を作ることによって、これらの困難な状況を打破し、フリーランスが抱えるすべての悩みは解決されるのです！**

雇用と業務委託の違いを理解して、どっちが合っているか考える

さて、ここで一つ疑問が出てくると思います。

「ひとりで仕事をする限界は十分にわかった。社員として雇用するということなのか？」結論から伝えると、私が本書で言っている**「フリーランスのチーム」というのは、社員として雇用するということではありません。「フリーランスや起業家、経営者の人と業務委託関係になって仕事をする」ということ**です。

では、まず雇用契約と業務委託契約の違いについて見ていきましょう。

雇用契約と業務委託契約の大きな違いは「使用従属性」にあります。使用者から使用

され（労働者となる）、業務内容等への指示命令や、勤務場所や勤務時間を拘束され、就業規則や服務規律が存在するなどがあれば、「使用従属性」が認められ「雇用契約」だと判断されます。使用従属性がなければ業務委託契約となります。

雇用契約とする場合は、両者に主従関係が生まれ、業務に関する細かい指示を出し、給与を払うという形式になるので、しっかりと人材を確保することができて帰属意識が強くなるというメリットがある一方で、毎月の給与の支払いや細かな労務手続きや負担が増えてしまいます。つまりは、人件費という固定の大きなコストがドシっと乗っかってくるということを意味するのです。

その一方で業務委託契約は、自分の業務のうちのどこか一部を外部の企業や個人に代わってやってもらうということであり、「作成した成果物」や「業務の遂行」の対価として報酬を払うというお金の動きになりますので、固定の給与や社会保険料の負担などはないのがメリットです。

その代わり、雇用契約のような主従関係が発生しない、つまりは相手とのガッチリとした関係性を固めることをしないため、いい意味で付かず離れずな関係であり、悪い意味ではすぐに仕事上の関係が途絶えてしまう可能性もあり得ます。

あなたがどんな仕事をしていて、目指しているビジョンは何なのかによって、雇用契約にしたほうがいいのか、業務委託契約にしたほうがいいかが変わってきます。

今から挙げる項目に答えていくと、雇用契約にすべきなのか、業務委託契約にすべきなのかがわかりますので、ぜひやってみてください。

図 2-4　「雇用契約か業務委託契約か、契約形態選択リスト」

	A	B
①	しっかりと帰属意識を持たせて組織を作りたい	つかず離れずの関係で柔軟に関係性を見直せるようにしたい
②	採用や人材教育に固定の費用が多額に発生しても問題ない	固定のコストをかけず成果に応じて報酬を発生させたい
③	給与や社会保険などの保障を十分につけてあげたい	完全に本人の自己責任でやってもらいたい
④	ゼロから教育して仕事ができるようにしてあげたい	即戦力のプロフェッショナルと仕事がしたい
⑤	時間も場所も固定化して仕事を進めたい	いつどこでどれだけ仕事をしても自由な組織を作りたい

A が多ければ「雇用契約」

B が多ければ「業務委託契約」

正社員を雇用せずに外部の人の力を使うことで、コスパ良く業務拡大できる

「正社員ゼロ、フリーランスで200名を超えるチームで仕事をしています」と私が言うと、大抵の人はビックリします。

なぜビックリするのかというと、恐らくは**「組織を大きくするには正社員を雇用しなければできない」といった固定観念があるから**でしょう。

これまでの世の中が「会社員として終身雇用されるのが当たり前」だったところから、そうではない時代がやってきたというのと同様に、組織を大きくするには「雇用」という固定概念も変化し、**「フリーランスで業務委託のチームを組む」ということが今後当たり前となってくる**と私は考えます。

先ほどの契約形態のチェックをしていただいて気づかれたかもしれませんが、組織の

あり方を決める基準は5つあり、**①関係性②コスト③責任④スピード⑤自由度**で考えてください。

もう少し詳しく説明します。

①関係性とは、相手との関係性が強いつながりなのか、弱いつながりなのかということ。

②コストとは、組織作りにコストがかけられるか否かということ。

③責任とは、相手にどれくらい責任を持ってもらうのかということ。

④スピードとは、業務拡大のスピードを速くしたいかどうかということ。

⑤自由度とは、働く環境作りをどれくらい柔軟なものにしたいかどうかということ。

このような5つの基準から考えて、雇用なのか業務委託なのかを判断しようということなのですが、**今後の時代の価値観や環境の移り変わりを考えると、フリーランスで業務委託のチームを組むことが賢い選択**だと感じます。

SNSのさらなる進化で、薄く広く人とつながれる関係性が心地よいとされる。

急激な円安により国力が低下、少しでもコストがかかることは避けたい。

大企業でも副業解禁が増加し、社員の自助努力が求められる。

Web3・0の発達などビジネスの常識が急速に変化。

アフターコロナ時代により、対面での接触が制限され、テレワーク環境が加速。

このような時代の変化に対応するには、もはや雇用での組織作りでは不可能であり、フリーランスの業務委託でのチームに軍配が上がると思いませんか。


ひとりで活動することの多くのデメリットを解消し、雇用契約のような旧時代の組織作りでは対応できない時代の変化をも乗り越えられる「フリーランスのチーム」を作ることで、あなたのビジネスは飛躍します。

この後の第3章で、より具体的に「フリーランスのチーム」を作ることで、どんなメリットがもたらされるのかをお伝えしますので、ぜひワクワクしながら最強のチームを作る心の準備をしていきましょう！

第3章

「チームランス」という働き方

「チームランス」という働き方の5つのメリット

さてこの章では、いよいよ「フリーランスのチーム」を作るという内容に突入していきます。

第2章でお話しした通り、これからの時代を生き抜くためには、「ひとり」で活動するにもデメリットばかりであり、雇用で組織を拡大するのも時代錯誤です。

起業・経営のあらゆる悩みを一挙に解決し、大きく成長していく新しい働き方、それこそが「フリーランスのチーム化」です。

私は、この**フリーランスを組織化した新しい組織づくりの形態を「チームランス」**と呼んでいます。

私自身の会社のビジネスモデルも「チームランス」として大きく成長しています。さらには、チームランスづくりのサポートを行ったクライアントも、みるみる成果を出しているこの「チームランス」という働き方は、言ってみれば最強の働き方だと私は感じています。

とは言っても、「チームランス」という働き方を初めて知った方からすれば、まだピンとこないと思いますので、ここでは、**あなたの現状のビジネスに対して、チームランスという働き方がどれくらい効果をもたらすのか**、について明らかにしていきます。

メリット①　提供サービスの幅が無限大に広がり、収入を青天井で拡大できる！

一番大きなメリットとしては、**あなたの収入の天井を壊します。**

なぜ、そんな夢みたいなことが可能になるかというと、一つは**「提供できるサービスの幅が広がる」**からです。

ビジネスの基礎基本に立ちかえると、ビジネスとは「顧客の悩み解決」ですので、極端なことを言えば**「人の悩みをたくさん解決できる人（組織）ほど、ビジネスで成果が上がる」**のです。

あなたが仮に、悩みを解決できるカード（商品サービス）がたったの1パターンしかなければ、限られた人の限られた悩みにしか対応することができません。それでは限界が来るのは当然のことです。

それが、あなた含めて4人のチームになったとすれば、カードが3枚追加されます。そうすると、解決できる悩みの幅が途端に広がるのです。自分には解決できなかった範囲のことも、チームのメンバーが入ることで対応が可能になるのです。

たとえば、あなたが転職等の支援を行うキャリアコンサルタントだったとします。普段は、一般企業からその他の企業の「転職」に関してのアドバイスを業務としていて、自己分析のコンサルティングや職務経歴書の書き方、面接対策などをクライアントに対してサービスとしてやっていたとしましょう。

そのクライアントから、「副業許可されている企業に転職して、そこで副業をやりた

図 3-1　「メリット①提供サービスの幅が無限大に広がり、収入を青天井で拡大できる！」

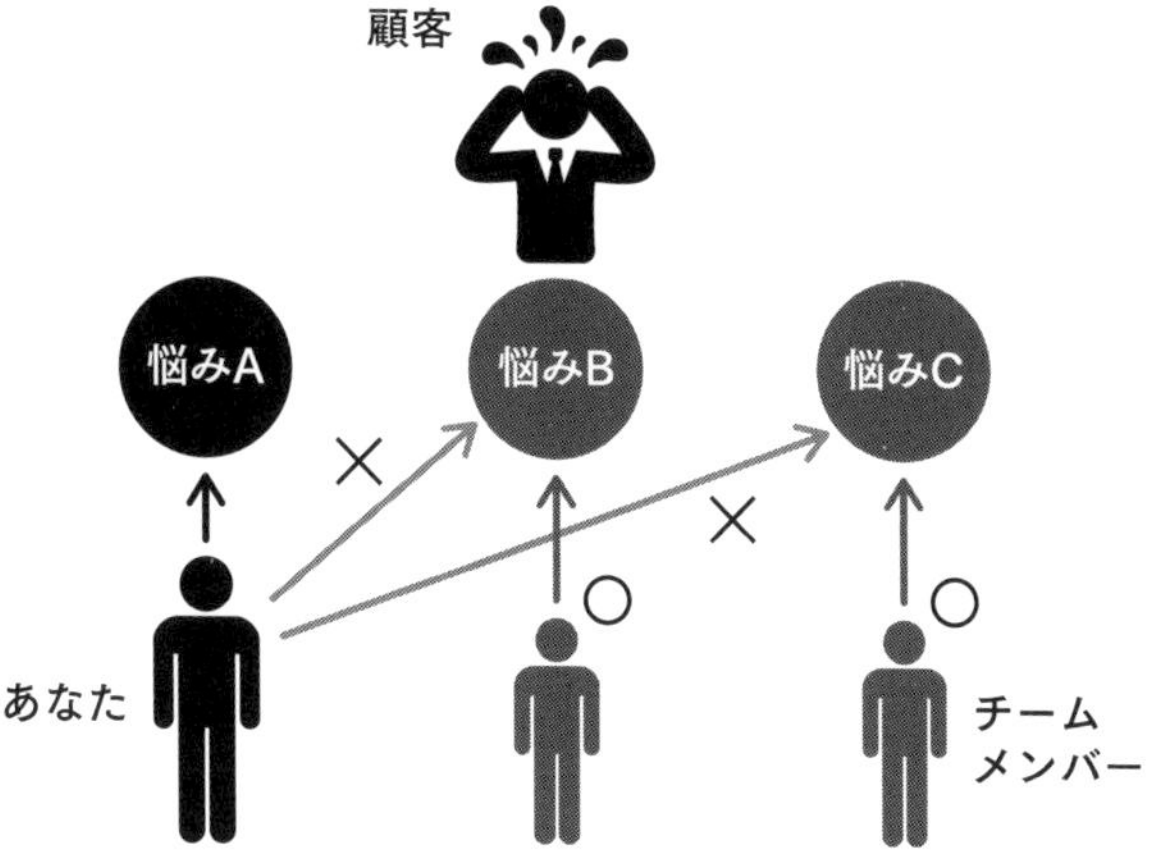

いと思うのですが、副業のアドバイスもしてくれますか？」と言われたとき、自分だけであれば転職についてしか対応ができないかもしれませんが、チームとして「副業のプロ」がいればどうなりますか。

クライアントの更なるニーズにも対応できる新しいサービスを提供でき、「転職×副業」という切り口で、他社の転職支援サービスと差別化したコンセプトとして打ち出すこともできるため、**圧倒的に選ばれるブランドを作ることも可能となる**のです！

さらに、「転職して年収が上がったので、資産運用も検討しているのですが……」と同じクライアントから申し出があった場合には、メンバー内に「資産運用のプロ」もいたとすれば、キャリアの相談に加えて、お金の悩みも解決できるという、もっと幅の広がるサービスが提供できるわけです。

このように、自分だけでは提供できないサービスの幅を広げてくれるのが、「チームランス」のメンバーです。**「自分はこれしかできないから」と考えるのではなくて、「自分にはできないけど、こんなことができる人が一緒にいれば、もっとお客様のためになるのではないか」と思考することで仕事の幅が広がっていき、あなたの収入に限界はなくなっていきます。**

メリット②
苦手なことは人に任せ、得意なことだけに集中できる！

「自分ですべてやらなければならない」という固定観念は、「チームランス」という働き方においては不要です。**苦手なことはチームメンバーにお任せし、得意なことだけに集中することができます。**

第2章でお伝えしたように、フリーランスというのは、商品開発、マーケティング、人事、営業、事務、経理、総務、法務……など、あらゆる業務を自分ひとりでやらないといけないという、ジェネラリスト的な働き方が求められます。

もし仮に、その業務の中で苦手なことがあったとすれば、それが足を引っ張り、業績を下げてしまいます。

チームランスでは、あなたが苦手なことさえも朝飯前のようにやってのける人がメンバーにいれば、一瞬であなたを縛るその悩みから解放してくれます。

たとえばあなたが、事務経理が苦手だったとします。書類データの整理や、細かなお金の管理などをエクセルシートにまとめるという作業が発生したとすれば、大きなストレスを抱えてしまうでしょう。

こういう私も、そういった細かな作業や管理がとても苦手な人間です。想像しただけで仕事のモチベーションが一気に下がってしまいますよね。

ただ、チームランスのメンバーに事務経理が得意な人がいれば、苦手で時間がかかってしまうことも、あっという間に仕上げてくれます。

自分の苦手をお互いにカバーし合える、相互補完関係が成立すれば、得意なことだけに集中できることで生産性が大きく向上します。

メリット③
経験実績が少なくても、いきなりすごい実績と信用が手に入る！

「実績は、どれくらいありますか？」

フリーランスで活動を始めると、実績がまだない自分に落胆してしまうシーンが多々やってきます。仮にあなたが相手の立場であれば、実績がある人に依頼したいと考えるかと思いますが、実績というのは仕事が取れるかどうかを大きく左右する重要な要素と言えます。

そして、チームランスであれば、**チーム内に経験豊富なメンバーがいることで、自分ひとりでは小さな実績でも、一気に大きな実績を手に入れることが可能となる**のです。

特に、いわゆるＢｔｏＢ、法人向けのサービスを展開して企業にアプローチをしたいと考えている、もしくは地方自治体等との取引をしたいと考えている人であれば、過

図 3-2 「メリット③経験実績が少なくても、いきなりすごい実績と信用が手に入る！」

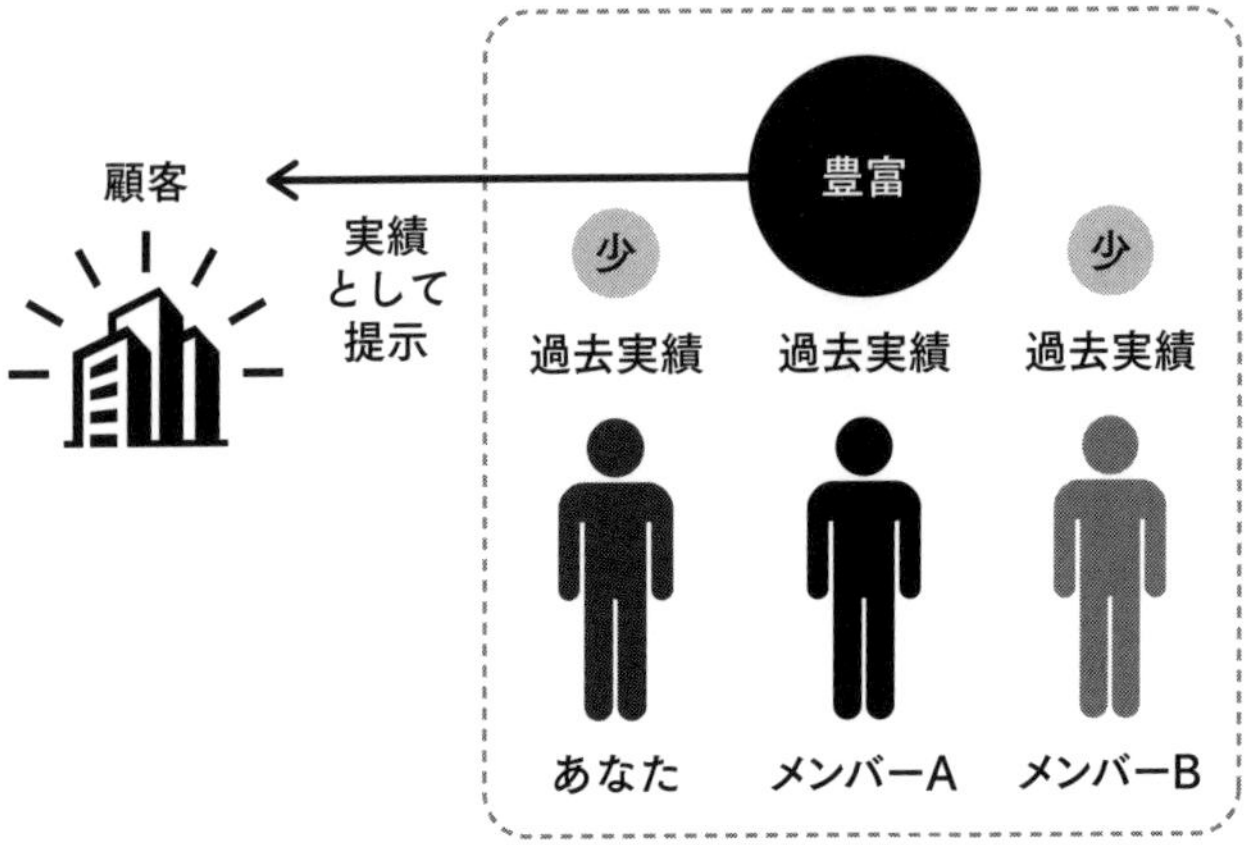

去の取引実績というのは真っ先に聞かれると言っても過言ではないので、実績を持っておかなければ聞く耳すら持ってくれません。

あなた自身に法人や地方自治体と仕事をした実績がなかったとしても大丈夫。もし、チームランスのメンバーにそういった実績を持っている人がいれば、その人の実績をお借りしてチームとしてアプローチすれば、あなた単体では突破の難しい門戸が開かれるのです！

実績というのは、雪だるま式に大きく増えていきます。小さなものでも実績を積むことによって少しずつ大きくしていけばいいのですが、もし仮にチームランスのメンバーの実績が大きければ、最初から大きな雪玉からのスタートになるので、あなたもそこに便乗することで実績が一気に膨れ上がるのです。

フリーランス、起業家が急増している世の中で、あなたのライバルは増殖しています。その中で、どうやってあなたが選ばれる存在となればいいのでしょうか？

とても現実的なことを言うと、「実績」で決まるのです。そこまでサービスの内容に違いがないのであれば、判断される要素は「ホンモノかどうか」、つまりは「実績」です。

ＳＮＳ、インターネットが発達しているこの世の中で、情報はすぐに調べられます。ユーザーはもう目が肥えてしまっています。

「どうせ同じお金を使うのであれば、ちゃんとしたところにお金を使いたい」

そんなシビアな環境で、あなたはビジネスをしなければならないのです。架空の実績を作ることは倫理的にできませんが、チームで実績をシェアするのは可能なのです。

メリット④
オフィス不要で、好きな時間に好きなところで仕事ができる！

今や当たり前となったテレワークという働き方は、もちろんチームランスでも可能なワークスタイルです。

組織で動くとなれば、今まではオフィスを構え、それぞれのデスクを配置し、ミーティングブースを作り、と初期コストとランニングコストがかなりかかっていましたが、**チームランスという組織形態であれば、オフィスは不要**です。

普段は、それぞれがフリーランス、起業家として活動しながら、チームでの活動が発生した際には、オンラインでのミーティングで意思疎通を図ればなんの問題もありません。

フリーランス、起業家というのは、会社員のように決まった時間に働くという概念がありません。月曜日〜金曜日という一般的な平日に仕事をするという人もいれば、土日祝に仕事をするフリーランスもいます。太陽が昇っている日中に仕事をするという人もいれば、夜の時間に仕事をするフリーランスもいます。

業務の内容や顧客との対応時間によって、曜日や時間帯が異なっているフリーランスが一緒に仕事をするという点では、固定の場所や時間を設けるというのは、難しいのが現実です。

また、最近では、今まで会社員として仕事をしていたときは、勤務地のある都市部に住んでいたが、フリーランスになったことを契機として、田舎に移住するという人も増えてきました。

自分は田舎にいながらも、都市部にいる別のフリーランスたちとチームを形成することで顧客獲得を進めたり、田舎にいるからこそのリソースを活用し、都市部のフリーランスへの情報提供をすることで、さらなる事業発展が見込めます。

メリット⑤
人件費ゼロで、実力あるプロ同士で規模の大きな仕事ができる！

チームランスは、いわば**「即戦力人材」が集まる最強の組織づくり**ができる形態です。しかも、**人件費ゼロ**です。そこが雇用で組織を作る場合と大きく異なり、チームランスならではのメリットになります。

中小企業の経営者や人事担当者は、いつもこのように悩んでいることでしょう。

「どうすれば優秀な人材を我が社に集めることができるのだろうか？」

ハッキリと申し上げましょう。中小企業が、雇用で優秀な人材を集めることはほぼ不可能です。なぜか？　理由は2点あります。

1点目は、優秀な人は、大企業や潤沢な資本を持つメガベンチャーなどが多額の報酬をかけて採用してしまっているからです。

人材不足が叫ばれている中、優秀な人間に目を止めてもらえる企業となり、そこで採用を行なって長く勤めてもらおうと思うには、多額のコストがかかることを覚悟しておかなければなりません。

2点目は、仮に優秀な人間を採用したとしても、ある程度経てば、優秀な人間は独立していってしまうからです。

会社員として全うしていきたいという意思のある方は除いて、多くの優秀なビジネスパーソンは、独立して自分の城を築きたいと思うのは避けられない人間の性です。

それに対して、チームランスは、優秀なメンバーをコストゼロで集めることができます。

フリーランス、起業家として、自分の実力で勝負していくと決めた優秀な人たちが、自分が成果を上げた分だけ報酬が入るという仕組みのもとでやれば、何の文句もなく動きます。

また、そもそもフリーランスとして複業もしくは独立して活動をしている人たちの集まりですから、会社を辞めるという概念が最初から存在しません。つかず離れずの関係ですので、同じチームランスとして活動を続けていくインセンティブがあれば、継続的に関係性を続けることが可能です。

*

ここまで「チームランス」という働き方のメリットについてお伝えしましたが、あなたの今抱えている課題を一つでもクリアできそうでしょうか？

これからは、あなたはひとり孤独に悩み、悶々とする必要はありません。また、組織を拡大しようとしてコストをかけることも、人材採用の数多ある課題にぶつかる必要もありません。

チームを「自分で作る」のか、「自分は参入する」のか

一つ大事なお断りを入れておくと、チームランスは自分が主で作らなくても大丈夫です。当然こういう人もいるでしょう。

「チームランスという働き方は魅力的に思えるが、自分がリーダーシップを発揮してチームをまとめるのは想像がつかない」

チームランスとして成果を上げるには、**「適性」、要は「向き・不向き」というものを考慮しながら進める**必要があります。

この適性を考慮するということについての詳細は、第4章や第6章で具体的なチームランスの作り方や成功ノウハウと共にお伝えするのですが、これを間違えれば途端に失敗してしまいます。

逆を言えば、適性さえ間違えなければ、誰でもチームランスを結成し、売上アップを

図ることが可能だということです。

では、一体どんな人がチームランスを「自分で作る」のに向いていて、どんな人が「作られたものに参入する」ほうがいいのかについてまとめていきます。

まず、チームランスを自分で作るのに向いている人は、以下のような項目にチェックがつく人だと言えます。

【チームランスのリーダーに向いている人】

□自分の事業が、すでにある程度軌道に乗っているという実感がある
□自分だけの限界を突破して、さらに売上アップして事業拡大を図りたい
□自分の事業に関連する他の分野への理解がある
□顧客の課題を自分だけでなくメンバーを率いて共同で解決したい

□チームメンバーへの理解と配慮ができる
□メンバーの意見や全体をまとめて先頭に立ち、チームを推進していく気概がある
□自分だけでなくメンバーの失敗などにも責任を持つことができる

次に、チームランスに後から参入するのに向いている人は、以下のような項目にチェックがつく人だと言えます。

【チームランスに参入するのに向いている人】

□自分の事業がまだ発展途上なので、チームの力を活用したい
□自分の専門分野に力を貸してくれる人を探している
□自分の事業領域には詳しいが、他の分野にはあまり詳しくない

□リーダーシップを発揮するというよりサポート側にまわりたい
□仕組みを作るのが苦手なので誰かにやってもらいたい

いかがでしたでしょうか。チームランスを作り、リーダーとして活動するのに向いているのか、できたチームランスに自分は参入する側なのかというのを判断するのも非常に大事になります。

もちろん、どちらが正しいとか偉いとか、そういうものはまったくありません。向いているのか向いていないのか、というただそれだけの話です。

チームランスをまとめるのに大事な資質は「多様性の理解」

先ほど、チームランスを「自分で作る」のか「参入する」のかについての適性チェックをしたと思いますが、「自分で作る」チームランスのリーダーとなる人の最も大事な資質は、**「多様性の理解」**だと私は考えます。

ここで言う**「多様性の理解」とは、「チームメンバーそれぞれの価値観、資質、強み、専門性、などを受け入れられるかどうか」**ということです。

まず重要なのは、各メンバーの**「専門性の理解」**です。

フリーランス、起業家として個人で活動をしている間は、自分が何の専門家でその専門領域の顧客は誰なのかという、シンプルな一本道で良かったわけですが、チームで活動するとそれでは通用しません。

各メンバーの専門性について理解し、**「その専門領域は誰が顧客になるのか、そして**

自分自身の専門性と組み合わさることによって、どんなシナジーが生まれるのかという想像力が必要」とされます。

「Aさんは○○という分野の専門であるが、自分とであれば▲▲ということで一緒に仕事ができるかもしれないし、Bさんとであれば◆◆ができるのではないか？」

こういう発想は、それぞれの専門性への理解と、それを横断的にまとめていくコーディネート力が要求されます。

たとえば、資産形成や資産運用の専門家であるファイナンシャルプランナーも、単独で活動していれば、クライアントのお金の課題に対しての相談対応しかすることができません。

でも、クライアントの人生設計をする中で「転職の悩み」が出たときにも対応できるように、チームメンバーで連携することができれば幅広い提案ができるだろうと、本来は別の事業を行っている両者をつなぎ合わせるといった力が必要となります。

自分のことだけでなく俯瞰的に全体を見るトレーニングをすることで、コーディネート力が養われていきます。

また、それぞれのメンバーの**「価値観の理解」**もチームランス作りでは重要です。

たとえば、Aさんは仕事とプライベートのバランスを重視している、その一方でBさんは仕事に全力投球していきたい。それくらい両者の価値観が違っていれば、仕事の進め方も大きく変わってきます。

それぞれが単体で活動しているときは問題がなくとも、チームで一緒に仕事をしていくとなれば、うまく調和できるようにまとめていく必要があるのです。

私が過去に経験した事例では、土日祝日は基本的に仕事上の連絡のやり取りも一切しないというメンバーAさんと、平日も土日祝日も関係なく仕事のレスポンスは即時やりたいというメンバーBさんが同じチーム内にいたことがありました。

メンバーBさんがメンバーAさんに土曜日に連絡してもまったく返ってこず、「これでは仕事にならない」と怒ってしまったという事件が起きました。

人間の性格、価値観は違って当たり前ではありますが、このようなちょっとした価値観の違いから、チーム内での歪みが起こる場合もあり得ます。

チームメンバー全員がこういった違いを理解するのはもちろんのこと、リーダーとしてはどうすれば最善の選択ができるかを予め考えて行動することが大切です。

うまくいくチームランスは、「オンラインコミュニケーション」がカギ

先ほどお伝えしたように、チームランスがうまく機能するためには、専門性、価値観などあらゆる点での「相互理解」が重要です。

そういった理解を促すためには、コミュニケーションが大事になってくるのですが、**特にうまくいっているチームランスは、「オンライン」でのコミュニケーションを徹底的に行っています。**

オンラインでのコミュニケーションと言っても様々あるのですが、用途によってコミュニケーションの方法やツールは使い分けをするといいでしょう。ここでは、チームランス内で行うオンラインコミュニケーションの事例をご紹介します。

オンラインで仕事のすべてが完結できてしまうからこそ、より効果的なオンラインコミュニケーションができるように工夫をしていきましょう。

①Ｚｏｏｍ

コロナ禍において一気に浸透したオンライン会議システムの代表格Ｚｏｏｍ（ズーム）。チームランスにおいては、場所を選ばず、いつでも顔を見ながらミーティングができるので、なくてはならないツールになります。

画面共有機能を使えば、資料を共有しながらのミーティングも可能となり、ミーティングの様子を忘れず残しておきたいと思えば、レコーディング機能を使えば動画で保存することも可能です。

スマホからも参加できるので、急な用事で外出先や移動中にミーティングに参加しなければならないとなっても対応ができるので、忙しいフリーランスにとってはなくてはならない存在です。

②Ｓｌａｃｋ

Ｓｌａｃｋ（スラック）は、アメリカの企業が提供しているビジネスチャットツールです。ＬＩＮＥのようにチャットで連絡を取ることはもちろんできるのですが、ＬＩＮＥのデメリットとしては、仮に一つのＬＩＮＥグループでチャットのやり取りをしていると、タイムラインの性質上、会話がみるみる流れていってしまいます。

もし同じタイムライン上で、プロジェクトＡとプロジェクトＢとプロジェクトＣの３つの話題を混在させてしまうと、内容がごちゃ混ぜになってしまったり、自分に関係のない話もグループ内でされてしまう、などの問題があり、生産性が下がってしまいます。

その点、Ｓｌａｃｋであれば、「チャンネル」という個別のスレッドを立ち上げることができ、プロジェクトごとにチャンネルを分けることで、きちんと分類することができるので混乱はなくなります。

チームランスを作れば、お金と時間の自由が同時に手に入る！

この章では、チームランスの特長についてたくさん触れてきましたが、少しはイメージがついてきましたでしょうか？

フリーランスとしてひとりで活動していては到達できないようなステージへ上がっていける方法、それがチームランスという働き方です。

要は、チームランスを作ることができれば、**フリーランスで抱えていた悩みが払拭されて、お金と時間の自由が同時に手に入る**のです。

「ＥＳＢＩ」という考え方を聞いたことはあるでしょうか？　この考えはアメリカの実業家であるロバート・キヨサキ氏の著書である『金持ち父さん貧乏父さん』（筑摩書房）という本の中で提唱されている考え方です。

世の中にある働き方を、収入の得方で４つに分類した考え方となり、

E……Employee（労働者）

S……Self employee（自営業者）

B……Business owner（ビジネスオーナー）

I……Investor（投資家）

という４つになります。

ここで言う**チームランスを作りリーダーになるというのは、B……Business owner（ビジネスオーナー）になる新しい方法**だと私は考えています。

これまでフリーランス＝S……Self employee（自営業者）だったところから、そのフリーランスをまとめて新しいビジネスの仕組みを作るということです。

SとBの大きな違いは、**自分が直接現場で動くことなく収入を得ることができるため、自由な時間も多くなります。**

図 3-3 「チームランスを作れば、お金と時間の自由が同時に手に入る！」

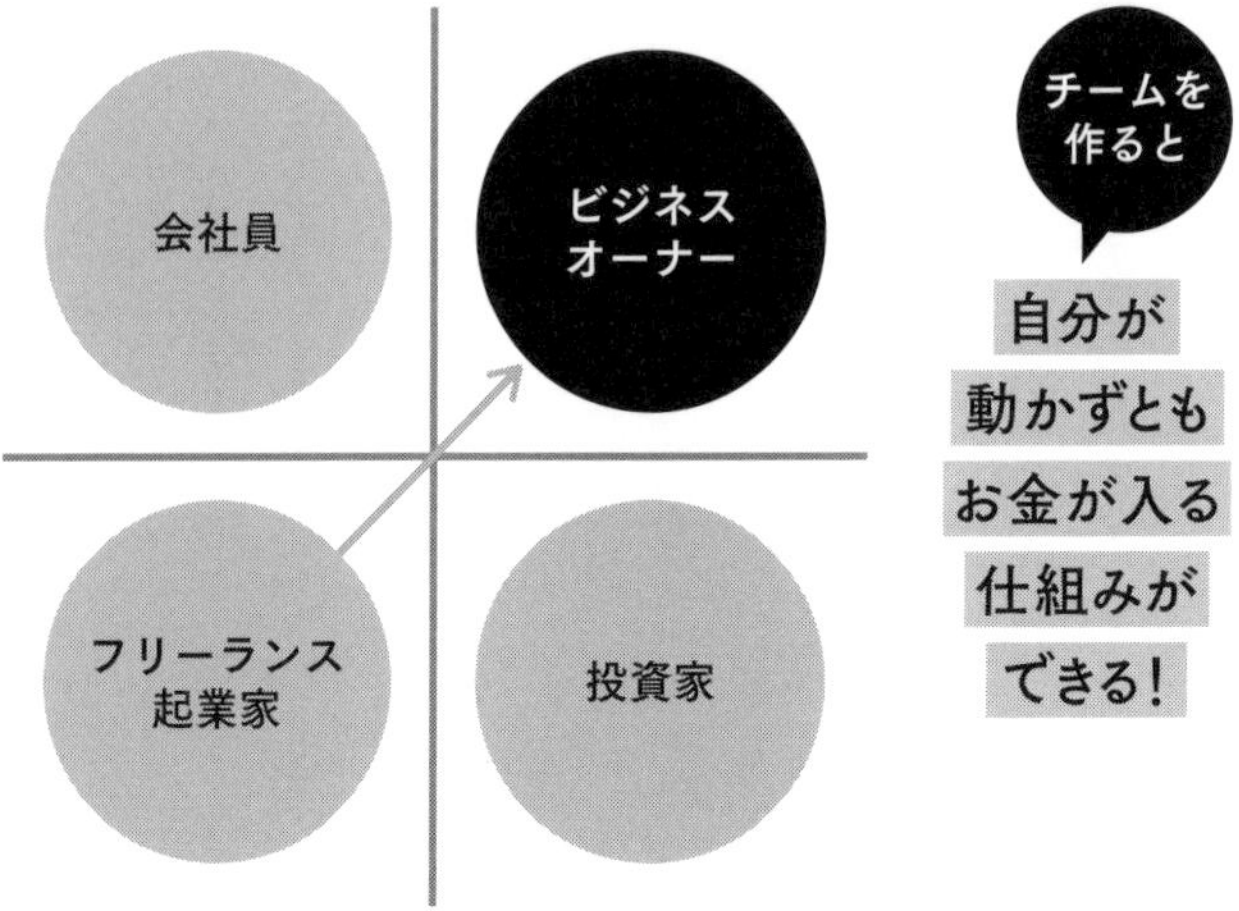

一般的には従業員を雇用して、事業の権利を所有して発生する利益からビジネスオーナーに入るというものですが、チームランスのリーダーをすることで、チームとしてのビジネスモデルを構築し、それよって出てきた利益を得ることによって、新たな収益発生源を作ることができるのです。

ただ、気をつけていただきたいのは、**チームランスとしての事業のリーダーとしてやっていくということは、その事業のリスクや責任を全部自分で背負わなければならない**ということです。

雇用をしている場合と比べれば、責任の重さは軽くはなるのですが、それ相応の自責の考えがある人がチームランスのリーダーとして相応しいのです。

そういう意味では、チームランスを作っていくには、気をつけるべきポイントが山ほどあります。これをすればうまくいく、という成功ノウハウももちろん大事ですが、それ以上に**「これをしてはチームランスで失敗する」という失敗要因を把握しておくことのほうが100倍大事**です。

私自身もたくさんの失敗を重ねたことで、チーム作りの失敗パターンを体系化できたので、あなたがチームランス作りに失敗しない「転ばぬ先の杖」として、次の第4章の内容を必ずチェックしていってください。

第4章

稼げるチームと失敗するチーム

「チームを作ろう」と集まっても、9割頓挫する最大の理由

第3章を読み、チームで仕事をすることのメリットを感じていただけたかと思いますが、それはあくまでも正しくチームランスが機能している場合に限っての話です。

私はこれまで数多くの方からご相談を受けてきましたが、実際に自分たちでチームを作って成功されているケースは、ほとんどありませんでした。9割頓挫しているのです。

もしかしたら、あなたも以前に「チームを作ろう」「コラボしよう」と思って、誰かと手を組んでビジネスを始めようとしたことがあるかもしれません。どうでしょう、うまくいきましたか?

多くの場合、**集まってはみたものの、なかなか話が進まなかったり、実際にビジネスとしての売上につながらず自然消滅していく、という残念な結果に終わっているか**と思います。

フリーランスでチームを作り、実際にビジネスとして理想的な成果を上げるというのは、実際にチャレンジしてみるとわかりますが、とても難しく、失敗に終わるケースが9割なのです。

では、なぜそのように9割が頓挫してしまうのか。その理由は単純明快、**「フリーランスのチーム作りの正しい方法を知らない」**からです。

学校ではもちろん教えてくれませんし、**日本中どこを探しても「フリーランスのチーム作り」について学べて実践できるようなところはありません。**正しい方法を知らずして、なんとなくの気持ちでチーム作りをしようとすると大怪我をしてしまうのです。

フリーランスのチーム作りが難しい理由はいくつかあります。

まず1つ目に、フリーランスは言ってみれば「自由に仕事をしたい」という理由で働いている人たちなので、言わば**「一匹狼」を集めて行動させせるハードルの高さが原因**です。

「時間や場所や人間関係などで縛られたくない」という思いの強い人たちが、同じ方向を向いてチームで仕事をするというのは一筋縄ではいきません。

仮にその場のノリで「よし、コラボして仕事しよう！」となったとしても、すぐに皆、「やっぱりひとりでやるほうがラクだ」と思ってバラバラになってしまうのがオチです。

2つ目に、**「お金の問題が絡んで揉めてしまう」**からです。ビジネスでの成果とは、シンプルに言うと「売上＝お金」です。チームでの仕事が機能すればお金が儲けられるし、逆にまったく何も生まれない場合もあります。

結果が出ず、お金が儲けられなければ、結局人間はチームで仕事をやる意味を見出せずやめてしまいますし、仮に儲かったとしても、その報酬をどのように分配するのかなどの明確なルール設計がされていないがために揉めてしまうというケースも多いのです。

正しいチーム作りの方法を知らないがために、フリーランスの人たちは延々と個人で仕事を続けてしまったり、チームを作ろうとしてもうまくいかずにやめてしまうのです。

正しい方法がきちんとわかっていれば、そんなことにはならずにスムーズにチームは結成され、売上をますます上げることができるのに、非常にもったいない結果を迎えてしまいます。

こんなチームランスは失敗する！
しくじりチームランス事例

お伝えしたように、ほとんどの場合、フリーランスのチーム作りは失敗に終わります。例に漏れず、私もかつてはチーム作りに失敗してきましたし、数多くの失敗チームランスを見てきました。

成功には偶然の要素もあり、必ずこれをすればうまくいくとは言い切れない部分がありますが、**失敗には再現性があります。これをしてしまってはうまくいかないというのは、誰がどうやっても基本的に失敗します。**

ということで本章は「しくじりチームランス事例」として、私が数多くの失敗してきたチームランスの実例研究を重ねた結果、これをやってしまうと失敗するという失敗パターンを5つご紹介します。

あなたは、この5つのパターンを反面教師としていただき、チームランスを作るときにくれぐれも同じような失敗をしないよう、しっかりと心に刻んでおいてください。

失敗パターン①完全横一列なフラット組織は理想論

成功するチームランス：統括責任者、中間管理者を配置し、責任所在を明確に

最も多い失敗パターンが、**「フラットな組織」をフリーランスで作ろうとするケースです。私の経験上、99％失敗します。**フラットな組織というのは、つまりは階層が分かれておらず、全員が完全に対等な立場でチームを作ろうとすることを指します。

フレデリック・ラルー氏の著書『ティール組織』（英治出版）の中で紹介され、瞬く間に世間へ浸透した「ティール組織」という新しい組織モデルがあります。このティール組織というのが、まさに個人が意思決定できるフラットな組織モデルと言われるのですが、この組織モデルに憧れてフラットな組織を作って失敗する人が大多数なのです。

なぜこの「フラットな組織」は失敗してしまうのでしょうか？　最大の理由は、**「責任の所在が不明確」**だからです。

普段はフリーランスとして、個人で活動していれば自分の活動に関しては、すべて自己責任で動いているのですが、いざチームで集まってみると、途端に勝手が変わります。もし仮に完全フラットな組織形態にしてしまった場合、「このチームでの責任は誰なのか」が皆わからず、最悪の場合は責任のなすりつけ合いが始まります。

ハッキリ申し上げますが、**完全横一列のフラット組織は理想論**です。普段、自分の裁量で行動しているフリーランスや起業家なのだから、個人個人が明確に意思を持って動けばフラットな組織でもうまくいくだろう、という考えは甘いです。それぞれの意思が強すぎた場合は、個人の主張がまとまらず、これもまたチームとして動くことはできません。

図 4-1　「失敗パターン①完全横一列なフラット組織は理想論」

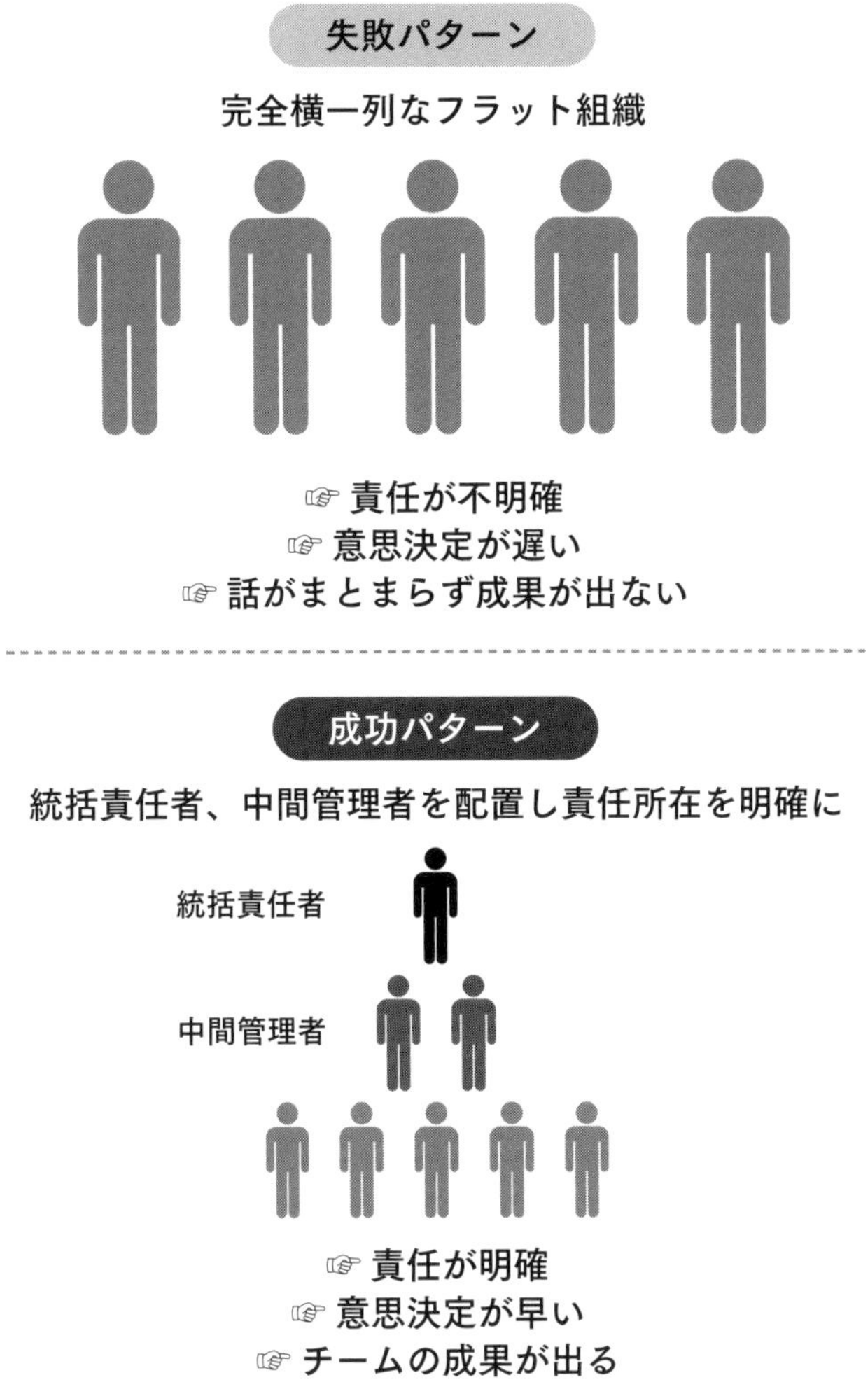
失敗パターン
完全横一列なフラット組織
☞ 責任が不明確
☞ 意思決定が遅い
☞ 話がまとまらず成果が出ない
成功パターン
統括責任者、中間管理者を配置し責任所在を明確に
統括責任者
中間管理者
☞ 責任が明確
☞ 意思決定が早い
☞ チームの成果が出る

結論、フラットな組織ではなく、**統括責任者（トップ）と中間管理者（幹部）を配置し、責任の所在を明確にすることでチームランスはうまくいきます。**

「会社みたいな縦社会だな」と感じるかもしれませんが、まさにその通りです。現実的にチームランスでの成果を上げるためには、このような**「階層組織形態」**にしたほうがうまくいくのです。

皆で集まって楽しくワイワイできたらそれで私はいいんです、というのであれば、別にこのような階層組織形態にせずにフラットでいいと思います。しかし、**成果にコミットし、売上を拡大していきたいと本気で思われている方は、必ず階層型のモデルを組んでください。**

まず、トップを配置することにより、責任の所在や意思決定が明確かつスピーディーに進みます。フラット組織であれば収集がつかない話も、すぐに決まっていきます。あなたがトップとしてチームランスを組むのであれば、しっかりと全体をまとめる気概を持ってチーム全体に関わってください。

また、中間管理者（幹部）のポジションのメンバーを配置するのも忘れないことです。これは一般的な会社組織でもそうですし、極端な話、学校の部活動なども一緒ですが、他のチームメンバーからトップに対して言いにくいことというのが必ず出てきます。チームの意見を吸い上げるためのサブメンバーがいることで、よりスムーズにチームが動くのです。

失敗パターン②自由を誇張しすぎてルールがない

成功するチームランス：全体の理念統一、運営ルールを明確に

次に失敗パターンとして多いのは、**「ルールがない」**ことが原因となるケースです。「自由な働き方をしているフリーランスを集めるのだから、ルールなんてないほうがいい、自由にやろうよ」と言っている人たちほど痛い目を見ています。

ルールがないというのは自由に見える反面、何をしていいのか、何をしてはダメなのか、という明確な基準がないため、人は行動できなくなるのです。

行動ができなければつまり、ビジネスとしての成果は生まれないですし、そのチームで活動する意味が薄れて、チームは自然消滅していきます。

実際のケースで言うと、やはり多いのは**「お金面のルール」**を作らなかったがゆえのトラブル事例を耳にします。

ある一つのプロジェクトを進行させ、実際に案件の受注に成功したものの、そのプロジェクトに関わっていたチームメンバーそれぞれへの報酬配分のルール決めをやっていなかったことで、揉めに揉めたという話もあります。

業務の配分についても明確に決めていなかったことから、特定のメンバーにシワ寄せがいき、文句が出たというケースもあります。

図 4-2 「失敗パターン②自由を誇張しすぎてルールがない」

失敗パターン

ルールがない

☞ お金面でのトラブル
☞ 行動面でのトラブル
が頻発する

成功パターン

全体の理念統一、運営ルールを明確に

☞ 業務の配分　☞ 報酬配分比率
☞ スケジュール　☞ 連絡方法
☞ 事務手続きルール　☞ チーム内の禁止事項など

そのような細かなルールはもちろんのこと、それ以上に大事なことがあります。それは、**「どんなチームを作るのか」という、言わば「経営理念」**のようなものです。

これがないことによって、仮にチームが結成されたとしても、どっちの方向に向いて動いていけばいいかわからず、皆がバラバラになってしまって成果が出ないというのも失敗パターンとして見受けられます。

成功するチームランスを作り、動かすには、**「明確な運営ルール作り」**をするのが必須です。たとえば、高速道路のこの特定区間では時速100キロ出しても大丈夫ですよ、という表示が交通ルールとして明確に示されているから、時速100キロの高速スピードを出して運転できますが、もしそのルールが示されてなかったらどうでしょう？

どれくらいのスピードを出してもいいのかわからず、人によっては20キロのノロノロ運転をするでしょうし、180キロの猛スピードを出すかもしれません。事故、トラブルが起きるのは容易に想像がつきますよね。

各自、業務の配分、報酬配分比率、スケジュール、連絡方法、事務手続きルール、チーム内の禁止事項などトラブルの温床になりそうなことは、ルールとして明文化することがチームランスの場合も重要になってきます。

そして、**人を動かすのは、理念とともに、未来に向けての具体的な「ビジョン」**です。同じ旗印のもと、チームとしてこの先どういった方向に進んでいくのか、という全体のビジョンをチームメンバーで統一させることが、チームとして機能させる大きな決定事項となります。

個人で活動する際や、会社としてビジョンを策定する際も大事であるのと同様、チームランスとして活動する際にもビジョンは中心軸となるものなので、時間をかけて考えましょう。

失敗パターン③実績経験値が全員低い弱者連合

成功するチームランス：各個人が自分の基盤をまず作り、複業として参画必須

これも陥りがちなパターンなのですが、**実績も経験値も低い人たちだけで集まって、チームを作るというのは高確率で失敗するので絶対にやめてください。**

想像もたやすいと思いますが、個人単体で動くのとチームとして複数人で動くのでは、どちらが身軽に動けるかというと、個人単体で動くほうが圧倒的に身軽です。

つまり、成果が出るスピードが速いのは個人単体であり、チームというのは個人の成果を増幅させるための起爆装置のようなものです。

うまく機能すれば大きく拡大する一方、下手なことをするとチームで足の引っ張り合いをしてしまい、個人で仕事をしていたほうがよかったと後悔します。

個人として実績も経験値も低い人だけが集まれば、**必ずと言っていいほどお互いの足を引っ張り合います。**個人単体で成果を上げられる方法が明確でない人が集まったところで、よりハードルの高いチームとしての成果を上げるというミッションに太刀打ちできるはずがないのです。

では、どんなメンバーでチームランスを組織すれば成功するのでしょうか。考え方は2つです。

まず基本となるのは、**各個人が自分の基盤を整えたうえで、「複業的」にチームに参画する**という考え方です。

個人単体でも事業が回っている状態なので、チームランスでのビジネスが仮にうまくいかなかったとしても何ら支障はありません。もしこれが自分の基盤がなかった場合、チームでの成果に依存してしまうこととなり、健全な事業活動とは言えなくなります。

では、実績経験値が低い人はチームランスで活動できないのかというと、決してそう

図 4-3 「失敗パターン③実績経験値が全員低い弱者連合」

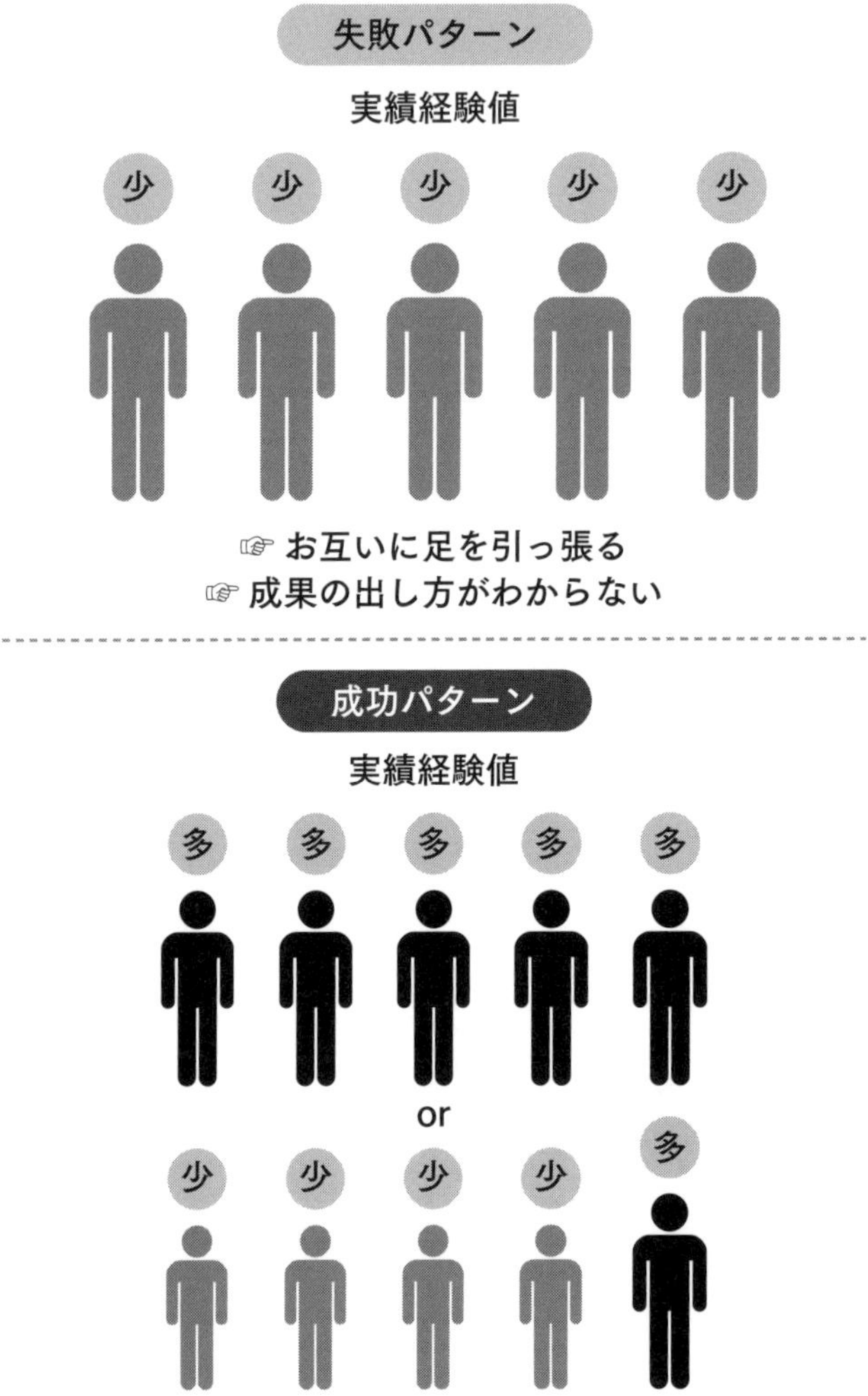

ではありません。

考え方の2つ目ですが、**実績経験値豊富なメンバーが作ったチームランスに参画**すれば何ら問題はありません。第3章でお伝えしたように、自分でチームランスを作るのか、参画する側なのかというのは、自分の適性に合わせて判断をすればいいのです。

まとめると、①メンバーの能力値が一定以上で揃っている、もしくは②能力値が高い特定の人が先導してくれる、どちらかであればチームランスは機能しますが、全員の個人レベルが低い人たちでチームを組めば失敗に終わります。

ビジネスを始めたばかりの人は、こういった悪い結果を生むチームを作っては、チームが機能しないだけに留まらず、個人の事業すらもうまくいかずに会社員に戻っていくという残念な結末を迎える人が多くいます。

失敗パターン④誰かれ構わず参画させるごちゃ混ぜチーム

成功するチームランス：誰を同じ船に乗せるのかをしっかり選定する

ビジネスは「何をするか」ももちろん大事ですが、**「誰とするか」**も大事な要素です。チームランスも同様であり、チームランスとして誰とチームを組むのかをミスすると、求める成果を生み出すことは不可能になります。

うまくいっていない失敗パターンとして、どんな人でもお構いなしに一緒にチームを組もうとするケースがありますが、絶対にやめましょう。

第1章でもお伝えしたように、確かにチームランスを組む際には自分と同じようなタイプやできることが同じような人よりも、タイプも異なり得意分野も違う人を巻き込んでいくのが大切です。

しかし、ここで間違ってはいけないのは、**「価値観」が違う人をチームに入れてはいけない**ということです。価値観が異なれば、同じ方向に進むことは困難を極めます。

私もかつて大きな失敗をしたことがあります。私が苦手な業務部分を埋めてくれる、まさに相互補完関係にある人材と出会えたため、その人をチームメンバーに入れてチームランスとして仕事を進めていました。

当初は、狙い通りに仕事をお互いに支え合い順調に進み、このままうまくいくと思っていました。

ただ、だんだんと歪みが生まれてきて、お互いにコミュニケーションを取ることも億劫になるほどの悪い状態に変わり、最終的にはケンカ別れのような形で離れていったという経験をしたことがあります。

その原因こそまさに、根底の「価値観」のところが合っていなかったからなのです。

私は、チーム内できちんと意見を言い合って、ときには熱くなるくらい議論をしたいという考えでした。

ところが、そのメンバーは波風を立てたくないという考え方で、自分が本心では思っていることも内に秘めているタイプでした。そのような考え方、価値観のずれによって、チームはうまくいかなることがあるのです。

今の話は「価値観」という部分での一例ではありますが、チームランスをうまく回していくには、誰をチームに迎え入れるのかという最初の段階がキモとなります。


会社で人を採用する際にも、十分に検討して決定するのと同じように、チームランスでも誰をチームのメンバーにするのかは最初の段階でよく考えなければなりません。

雇用で言う「解雇」ほどの重さはありませんが、業務委託でのチームランスにおいても、一度チームになったメンバーと悪い形で辞めてもらうのは、かなり骨が折れます。

誰かがチームから撤退すれば、他のメンバーにも悪い影響が少なからず出ます。

私が運営しているチームランスでは、チームに参画したいという申し出があっても、誰でもＯＫはしていません。

チームの理念に共感するのか、ルールに従ってもらえるのか、どんな価値観なのかを最初の段階できっちりと確認をして、問題がなければ参画のOKを出すというくらい、入り口を狭くしています。チームの健全性を保つためには、それくらいするほうがいい結果を生むのです。

失敗パターン⑤うまくいかなくても、そのままズルズル継続

成功するチームランス：引き際を明確にして、解散判断をすぐにする

いくら頑張っても、うまくいかないときはうまくいきません。ビジネスの場合、撤退ラインを決めておくというのが重要と言われていますが、チームランスの場合も同様に、**チームを解散するかどうかをすぐに決めることが重要**です。

うまくいかずにズルズルと継続してしまった結果、何も生まれない時期がただ過ぎて

いき、「この時間をムダに過ごしてしまったな」と後悔の念が生まれてしまいます。

私自身、起業して間もない頃、前述した失敗パターン③で挙げた「実績経験値が全員低い弱者連合」状態でチームを組んでビジネスをやろうとしていた時期がありました。

結論から言うと、悲しいくらいに大失敗に終わりました。

約1年間そのチームで成果を上げようと躍起になっていたものの、チームでの売上はゼロ。1年間を本当にムダにしてしまったと後悔しています。

じつは、当初2ヶ月目の段階で私自身は、「このチームで進めていくのは無理ではないか?」と心の中で疑い始めていたものの、他のチームメンバーは希望を持っていたため、本音を言い出しにくく、そのままズルズルとときが経ち、気づけば1年が経過していました。

チーム全体として存続させるかどうかももちろんですが、チームで取り組むプロジェクト単位でも引き際は重要です。仮に自分ひとりであれば、自分ひとりの判断で特定の事業を続けるもやめるも即決定できるものの、複数人の意思決定者がいるチームであれば、全体合意を取り付けることも一苦労です。

また、先ほどの失敗パターン④のように、メンバーが自分で勝手に辞めるのは問題ありませんが、チーム全体のことを考えた際に、チームを辞めてもらったほうがいいと判断を下さざるを得ないシチュエーションもやってきます。

そうなった際に、当人もチーム全体も納得するような理由づけをしたうえで、辞めてもらう判断を早くしなければ、全体に不利益が発生する場合があります。

たとえば、そのメンバーがいることでチーム全体の風紀が乱れるとか、トラブルが今後も生まれてしまう可能性がある、などです。

そのような場合でも、チームとしてのルールや判断基準などがあれば、すぐに対応することができます。

〇〇をしたらアウト、〇〇になったらやめる、いつまでに〇〇という数字に届かなければ撤退するなど、明文化することで、早期で判断を下すことができるようになるのです。

＊

チームランスの失敗パターンを5つご紹介しましたが、いかがだったでしょうか？
特に注意すべきなのは、パターン①のフラット組織を作ろうとして失敗するというパターンでしょう。いくら優秀なメンバーが集まったとしても、「フリーランスのチーム作りの正しい方法」がわかっていなければ、必ず失敗に終わります。

メンバーの力を生かすも殺すも、「チーム作りの方法」にすべてがかかっています。
それぞれの高い専門性をチームランスにすることで、何倍にも大きく膨らませることが可能となります。あなたのビジネスも、もちろん可能です。

「本当に、私の仕事もチームランスにすることができるのか？」

そろそろこんな疑問があなたの頭に浮かんできていることでしょう。心配いりません。

あなたの仕事もチームランスにすることで、大きく飛躍する可能性を秘めています。

次の第5章では、そんなあなたの疑問を払拭するために、私が手がけてきた様々なチームランスの事例を具体的にご紹介することで、よりクリアにイメージしていただけるようにします。「こんなこともチームランスにできるんだ！」という驚きがあるかもしれません。

第5章

「チームで稼ぐ」成功の方程式

こんな仕事はチームで伸びる！

私は、これまで数多くのチームランスの構築から運営、そして実際に売上アップまで支援してきましたが、やはりうまくいくチームランスとうまくいかないチームランスが大きく二極化したのです。

そういう意味では、なんでもかんでもチームにすればいいというわけではないということです。

この章では、具体的にどのようなチームランスが成功するのかというケーススタディと、そういったうまくいくチームランスに共通する成功要因、いわば**「チームランスの成功方程式」**を明らかにしようと思います。

まず、成功するチームランスは、以下のような条件が成立するものだと言えます。

①専門性×②親和性×③ネットワーク性

言葉にするならば、**「それぞれ専門性の高いメンバーが、お互いに親和性のある事業でチームを組み、メンバーが増えることで事業のネットワークがますます広がること」**です。それぞれの要素を細かく説明します。

①専門性

チームランスを組むためには、**「メンバーそれぞれの専門性が高い」**ということが重要になります。

チームというのは、自分にないものを他のメンバーと相互に補い合うことで強くなっていくものです。**専門性がはっきりとしている人同士のほうが、互いの持っている武器がわかりやすく、協調しやすくなります。**

逆を言えば、専門性がぼんやりとしていて何の専門家なのかがわかりにくい人は、他のメンバーからすればどんな武器を持っているか確認できず、自分を助けてくれる存在となりうるかわからないのです。

たとえば、あなたが既存の顧客から「SNSで自社の認知を拡げたいが、どうしたらいいかわからない」と自分の専門分野外の相談をされたとしましょう。

そのときに、「SNSのマーケティング専門のマーケッター」であるAさんと、「特に専門分野は定めていないコンサルタント」のBさんの2人が並んでいたとすれば、どちらとあなたはチームを組んでこの顧客へのサポートに入ろうと思いますか？　火を見るよりも明らかであると思いますが、Aさんをきっと選ぶことでしょう。

また、仮にチーム内に大きく括ると「Webでのマーケティングの専門家」が複数いたとします。ただ、よくそれぞれの専門性を確認すると「SNSでのマーケティング専門」「ホームページでのマーケティング専門」「Web広告でのマーケティング専門」と、きちんと専門性が特化されていれば、広くは同業でライバルと思える人たちも、手を組んでチームランスとして成功できる可能性があるわけです。

専門性がぼんやりしていれば「敵」だったとしても、専門性が尖れば「チーム」として仲間になることができるのです。

②親和性

チームランスを組むには、**「お互いに組みやすいかどうか」**というのも重要な要素となります。誰でもかれでもチームにすることはできません。

チームランスを組むことによって、**よい化学反応が起きる親和性の高いメンバー同士がつながることが大切**です。

親和性が高いかどうかというのは、パッと見てわかりやすいものもあれば、わかりにくいものもあります。

たとえば、「結婚相談所」と「結婚式場」というのは、誰がどう見ても親和性が高いと理解できると思います。結婚相談所で出会いのサポートを受けて、晴れて入籍となり式を挙げたいとなれば、結婚式場に行って挙式の相談をする。

こういった流れがあるので、相互にチームを組むことによって、ビジネスが拡大するのは容易に想像ができるため、親和性が高いと判断できるでしょう。

では、「結婚相談所」と「司法書士」もじつは親和性が高いのですが、ぱっと見ですぐにピンとくるでしょうか？　恐らく、頭にハテナが浮かんでいるでしょう。

後ほど、ケーススタディ③と④で詳細を公開するのでここではあえて割愛しますが、私が手がけているチームランスでは、「結婚相談所」と「司法書士」もチームランスとして機能しています。

この両者の不思議な親和性のヒントは「結婚式には祖父母が参列する」ということです。互いのビジネスモデルへの理解があれば、きっとお気づきになられることでしょう。

第3章でお伝えしたように、親和性を生み出すために必要なのは、チームメンバーとなりうる人の事業の理解を広くしておくことです。多様性の理解ができれば、意外なあの人とあの人を組み合わせてチームにすることも可能となります。

③ネットワーク性

私は、チームランスのメンバーが増えることによって、事業が拡大するということを「ネットワーク性」と呼んでいます。事業の拡大というのは、大きく3つの意味があり、**①案件数②バリエーション③規模**の3つです。

メンバーが増えることによって、対応できる案件の数が増えていき、実績が数として積み上がっていきます。

また、様々な分野の専門性があるメンバーが増えていくことで、対応できるバリエーションの幅が広がっていきます。

そして、実績あるメンバーが増えていくことで、規模の大きな案件にも取り組んでいくことができ、1件あたりの単価や生産性が高まっていくのです。

ただ、メンバーの組み方を間違えてしまうと、ネットワーク性が発揮されないことも起こり得ます。単純に人数を増やせば案件数が増えるというわけでもありませんし、大きな仕事が取れるわけでもありません。受動的な人や、協調性のない人がチームランスに参画したとしても、よい効果は生まれません。

そういう意味では、チーム作りには、ある種の性格・人間性の部分も影響してくるわけです。

以上、3つの要素の掛け算からなる成功方程式が成立すれば、チームランスとしてぐんぐん伸びていくことでしょう！

私の仕事もチームにできる？「チームランス」のケーススタディ

先ほどの成功方程式を見て、自分もチームランスにすることでこのような条件を満たしてさらに成長していきたい、と思われた方もきっといることでしょう。ただ、自分の仕事・事業がチームランスにすることができるのか、まだイメージがつかないという方もいると思います。

ですので、ここからは弊社で実際に動かしている多数のチームランス事業のいくつかを具体的に紹介して、さらにイメージの解像度を上げていただきます。「こんな仕事もチームランスにできるんだ！」という発見がたくさんあることでしょう。

ケース①コンサルティングビジネス（マーケティング、人材育成、財務経営など）

最初にご紹介するのは、「コンサルティングビジネス」のチームランスです。

簡単に説明すると、**コンサルティングビジネスも「複数の専門分野を持った人でチームを組んで、クライアントにコンサルティングを提供するというスタイルを組むことができる」**ということです。


私は、これまで独立・起業・経営のコンサルティングを6年で2000名超に対して行ってきたので、私自身の専門分野としてもコンサルティングが一番の軸と言えます。

恐らく、ほとんどのフリーランスや起業家としてコンサルティングビジネスをしている人は、「自分ひとりでクライアント1名に対応する」というコンサルティングをしていると思います。もちろん、私も起業当初から数年前まではそのスタイルでやっていました。

ただ、この**「コンサルタントひとりでクライアント1名に対応する」というコンサルティングの提供方法には限界がきます。**

第2章でデメリットとして列挙した、「労働集約型」と言われる、自分の時間を切り売りして労働しなければ売り上げが立たないというモデルに陥りがちなのです。

私自身も起業して3年ほど経った頃に、その限界が見えたときがありました。売上は横ばいとなり、ずっと同じことの繰り返しをしているようでマンネリ化もしている。

そんな限界を感じたために、新しいやり方を学ぼうと思っていくつかの経営塾にお金を払って投資をしたときに、ハッとさせられたことが起きました。

コンサルタントの多くは、1対1でのサービス提供に限界を感じたら、自分がまさに通ったような「コンサルタントひとり：受講生複数人の講座型のビジネスモデル」に変えるのがセオリーだと教えられました。これが、じつは罠だったのです！

確かに、講座型のビジネスモデルに変えれば、同じ時間に複数人のクライアントを見ることができるので、時間効率は確実に上がります。

ただ、一人ひとりと向き合う時間が単純に薄くなるために、クライアントが発揮する成果は落ちてしまいます。

すると何が起きるかというと、**クレームや不満が出てくる**のです。あそこの講座では結果が出ない、サポートが薄いなど、言われてほしくないことが様々出てきます。そうして悪い噂が立ってしまうと、事業拡大が厳しい環境にさらされてしまうでしょう。

また、**自分の専門分野だけをひとりのクライアントに提供し続けても、どこかで限界がやってきます。これ以上、この人から学ぶことはないと思われてしまえば、契約は打ち切られてしまいます。**

そんな現実を知った私は、自分自身はそのような講座型のモデルにするのではなく、別のビジネスモデルを構築しようと思ったのです。それがチームでのコンサルティングサービスでした。

図 5-1 「ケース①コンサルティングビジネス」

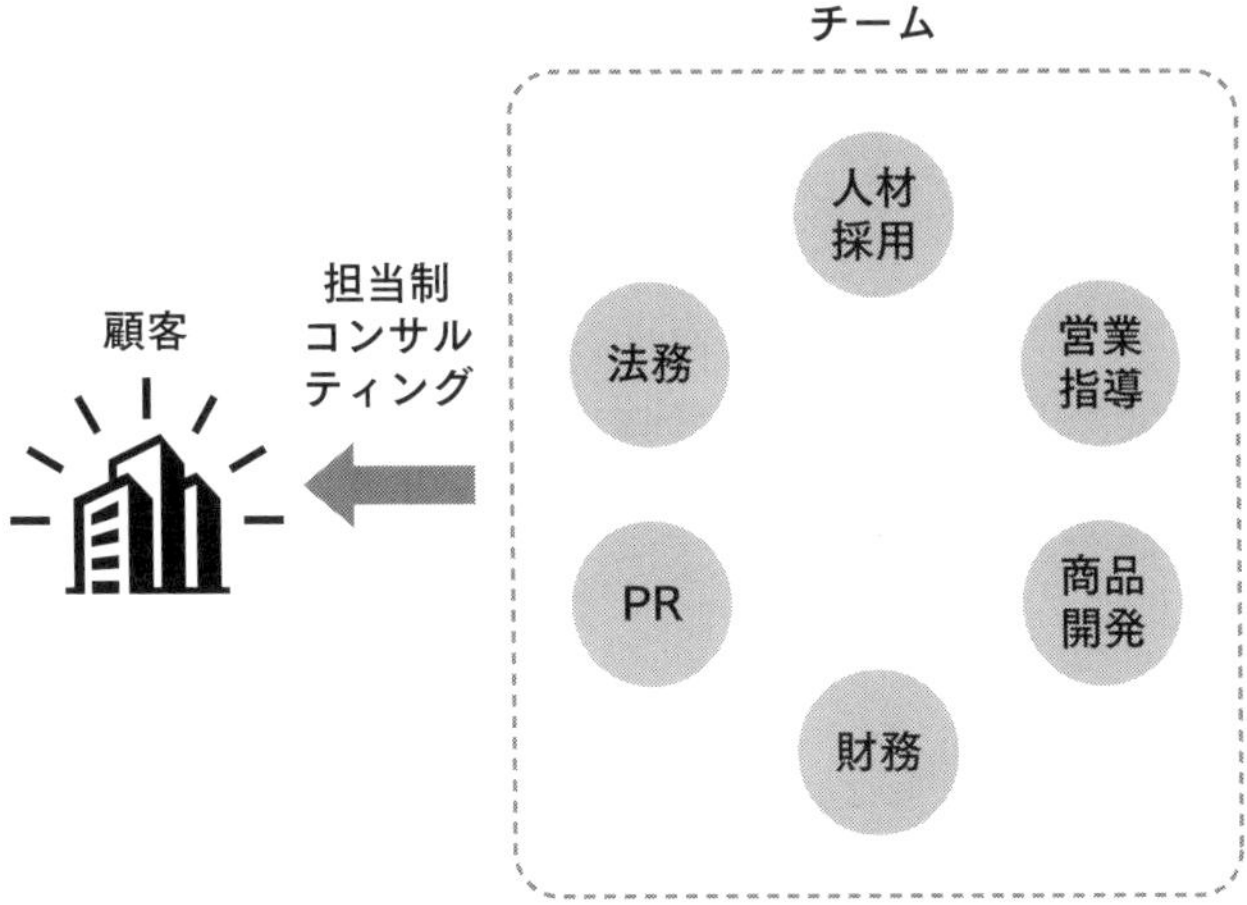

今まで自分ひとりでやっていたコンサルティングの内容を細分化して、以下のように分けました。経営理念を導き出すパート、商品開発のパート、営業指導のパート、集客指導のパート……と。

そして、そのパート単体が私よりも専門性の高いメンバーに委託して、チームとしてクライアントに提供し始めたのです。

すると、**自分自身の労働時間も圧倒的に削減される一方で、クライアントへの価値提供は、自分単体では難しかった専門性の高さも発揮でき、顧客満足度も向上した**のです。

このように、コンサルティングビジネスも専門性の高いメンバーとチームランスを組み、クライアントに提供することで、自分自身の限界を突破し、売上をアップさせることが可能になるのです。

あなたの専門性と掛け算することで、効果を発揮する分野の専門家はまわりにいないでしょうか？　その人と一緒にチームでクライアントに入ることによって、あなたの今のコンサルティングビジネスが飛躍するイメージはできますか？　一度検討してみてください！

ケース②Ｗｅｂ制作ビジネス（コピーライター、デザイナー、コーダーなど）

次にご紹介するのは、「Ｗｅｂ制作ビジネス」のチームランスです。

「一つの成果物を複数の専門家で作り上げる」というものなので、これは比較的イメージしやすいかもしれません。

たとえば、一つのＷｅｂサイトを制作するためには、文章を考えるコピーライター、デザインを作るデザイナー、ブラウザ上で表示できるようにするコーダーなど、複数の専門家を組み合わせることが必要です。

フリーランスで仕事を取るには、それぞれが単体で動くよりは、チームで活動するほうが確実にうまくいく分野です。

こういったＷｅｂ系の職種のフリーランスの方たちの悩みのトップは、「単価が安くなりがち」ということです。

単価が下がる原因の一つに、Ｗｅｂ系フリーランスが案件を受注するためによく使う手法が、「クラウドソーシング」サービスからの案件受注に依存してしまっている、ということが挙げられます。

クラウドソーシングからの案件受注は、大手のクラウドソーシングサイトに自分を登録し、そこに問い合わせをしてきた企業や個人と取引できるという便利なものにはなりますが、じつは罠があります。

クラウドソーシングに案件を委託する企業や個人というのは「できるだけ安く委託したい」というニーズが強いため、低単価での発注にならざるを得ません。しかも、クラウドソーシングサイトに手数料を納める必要もあるので、手取り収入は下がります。

また、大手の代理店や親会社からの下請けで案件を受託しているWebフリーランスも多いでしょう。これでは、**元請けである代理店や親会社が入っている分、柔軟に動くことができず、手取りも少なくなるのが目に見えています。**

こういった課題を解決するのが、チームランスです。Webサービスでチームを組んでいれば、それぞれのメンバーが各自で案件を見つけてくることで、**案件数も多く獲得**することができます。

しかもチームで対応することができるので、制作案件をワンストップで受けられるメリットを活かして、クラウドソーシングサービスに依存することなく、**自分たちだけで**

図5-2　「ケース② Web制作ビジネス」

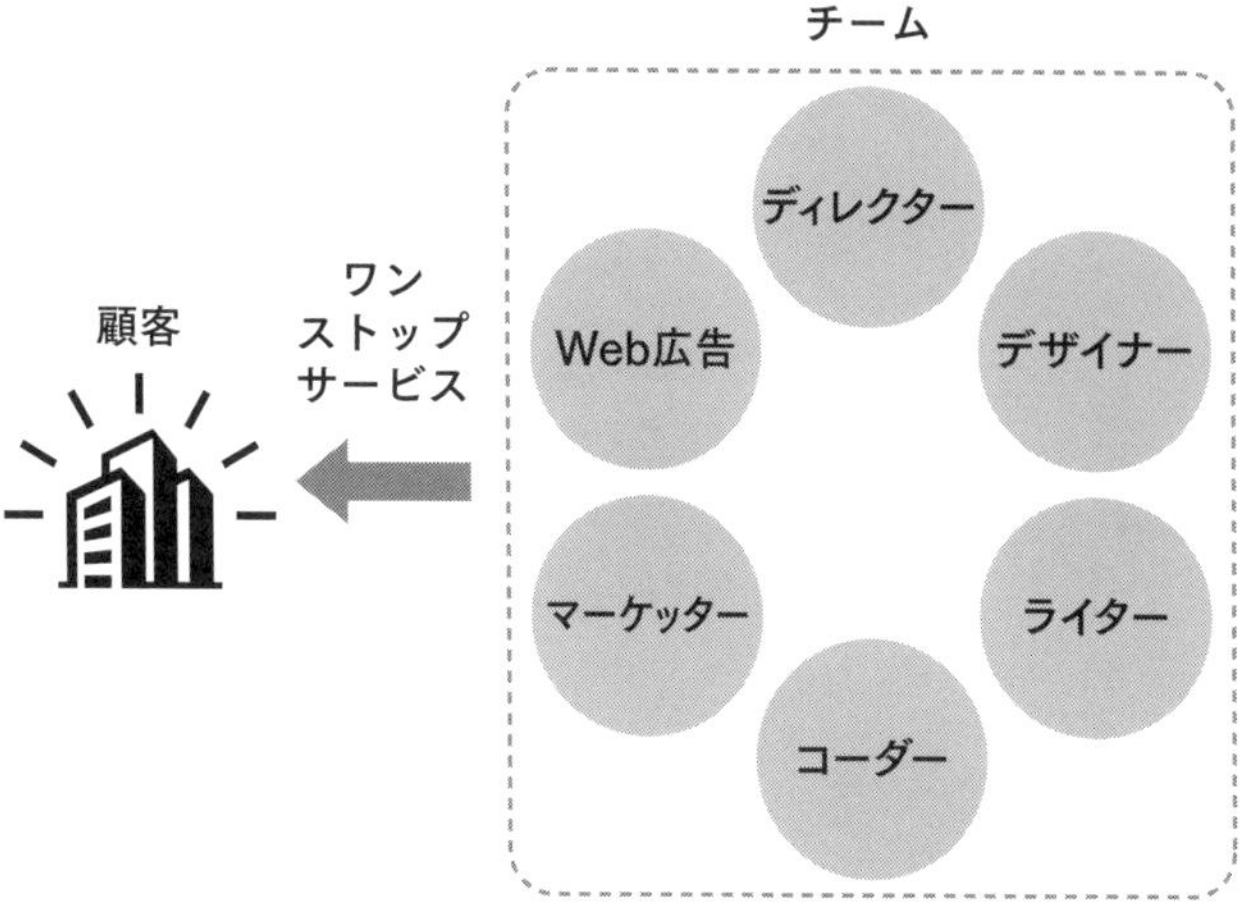

直接案件受注を獲得することも可能となります。

また、Ｗｅｂ制作ビジネスのメンバーだけでなく、先ほどケース①で紹介したような、**コンサルティングビジネスのチームとも協業する**というのも賢い方法です。

コンサルティングビジネスを提供している企業クライアントで、もしＷｅｂ制作のニーズが出てくることも企業活動をしていれば高確率であるので、コンサルティングメンバーからの紹介でＷｅｂ案件を受注することもできます。

Ｗｅｂ業界だからと同じ業界の人とだ

けチームを組むのではなく、ニーズを拾ってくる可能性のある人たちとチームランスを組むのがポイントです。

ケース③相続対策ビジネス（弁護士、税理士、司法書士、生命保険営業など）

次にご紹介するのは、「相続対策ビジネス」のチームランスです。

相続対策と言うと、いわゆる「節税対策」「遺言作成」「死後事務委任」「相続登記」「家族信託」など対策方法は様々あり、その対策方法を扱える専門家が決まっています。いわゆる士業と呼ばれる、弁護士・税理士・司法書士・行政書士……といったプロフェッショナルの方たちの専門領域です。

じつは弊社でも、相続対策ビジネスのチームランスを結成しており、数多くのご相談対応の案件をチームで回しているので、リアルな状況を把握しているのですが、相続対策ビジネスはチームランスで行うのが最善だと感じています。

その理由を、チームランスにとってのメリット、お客さまにとってのメリット双方から挙げていきます。

まず、相続対策ビジネスチームランスとしてのメリットは、**①苦手な顧客開拓部分を委託できる②集客力が上がる③自分で対応できない領域をすぐに任せられる、**などが考えられます。

一番大きなメリットとしては、**「苦手な顧客開拓部分を委託できる」**という点でしょう。こういう言い方をすると失礼ですが、専門士業の方たちは、営業や顧客開拓という部分に苦手を感じている人が多い傾向にあります。

顧客の課題解決となる専門性は高くても、顧客を獲得できなければ、その専門性を発揮することはできません。

では、誰がその顧客開拓を担ってくれるのかというと、相続対策のスキームとして「保険」を活用した提案をしている営業マンに営業部分を担当してもらうようにするのです。

図 5-3 「ケース③相続対策ビジネス」

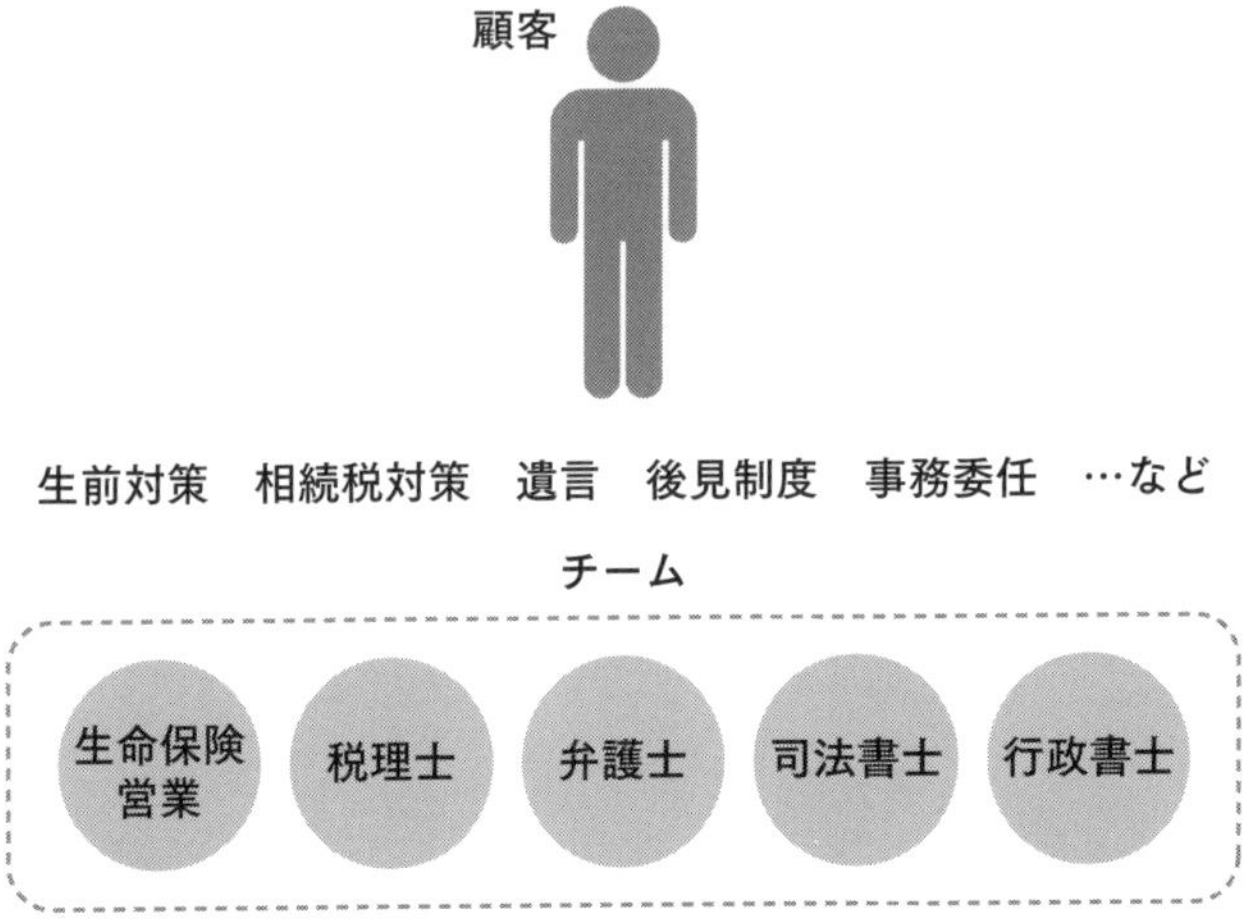

そうすれば、**営業マンは得意な営業活動をしながら、自分が対応できない専門領域になれば、士業のチームメンバーをつなぐ。そうすることにより、それぞれが強みを発揮し、弱みを補い合って、相続対策提案をチームランスで行うことができるのです。**

一方で、お客さま視点でのメリットとしては、**窓口一つですべての手続きをワンストップで解決ができる**ことです。

相続対策といっても様々な対策が必要となり、何を誰に相談しに行けばいいかわかりません。

誰に相談すればいいかわからないから、とりあえず聞きに行ってみようと窓口に行けば、「これは私の担当領域ではありませんので、〇〇へ相談に行ってください」と言われてしまう。専門的な手続きに詳しくない顧客側からすれば、困ってしまうのです。

そんなときに、相続対策のチームランスがあれば、窓口一つですべての手続きをワンストップで解決ができるということで、「どこへ相談に行けばいいかわからない」という悩みが解消されます。

このように、提供者側だけのメリットを考えるのではなく、顧客視点で考えてみても、チームランスにすることが大きな価値となりうるケースも多くあるのです。

ケース④ブライダル関連ビジネス（結婚相談所、結婚式、新生活関連事業など）

次にご紹介するのは、「ブライダル関連ビジネス」のチームランスです。

チームランスにすることとの大きなメリットとして、**「顧客との関係性を長く保ち、単価を上げることができる」**ということがあるのですが、ブライダル関連ビジネスは、まさにそのメリットを享受できる仕組みになります。

まず、結婚相談所というのは、結婚をしたいと思っている男女のマッチングを支援する仕事です。

なかなか自然な出会いでのご縁がなかった方が、結婚相談所という存在によって結婚が決まるとなると、とても大きな感謝が生まれます。そんな重要な役割を担う結婚相談所の方は、大きな可能性を秘めているのではないかと感じています。

それは何かというと、結婚が決まった後の「結婚式」「新生活」についてもサポートに入れれば、もっと単価がアップするということです。

事実、私のプロデュースしているブライダル関連ビジネスのチームランスでは、結婚相談所から、結婚式のプランニング、新生活でのライフサポートまで一貫して担ってい

図 5-4 「ケース④ブライダル関連ビジネス」

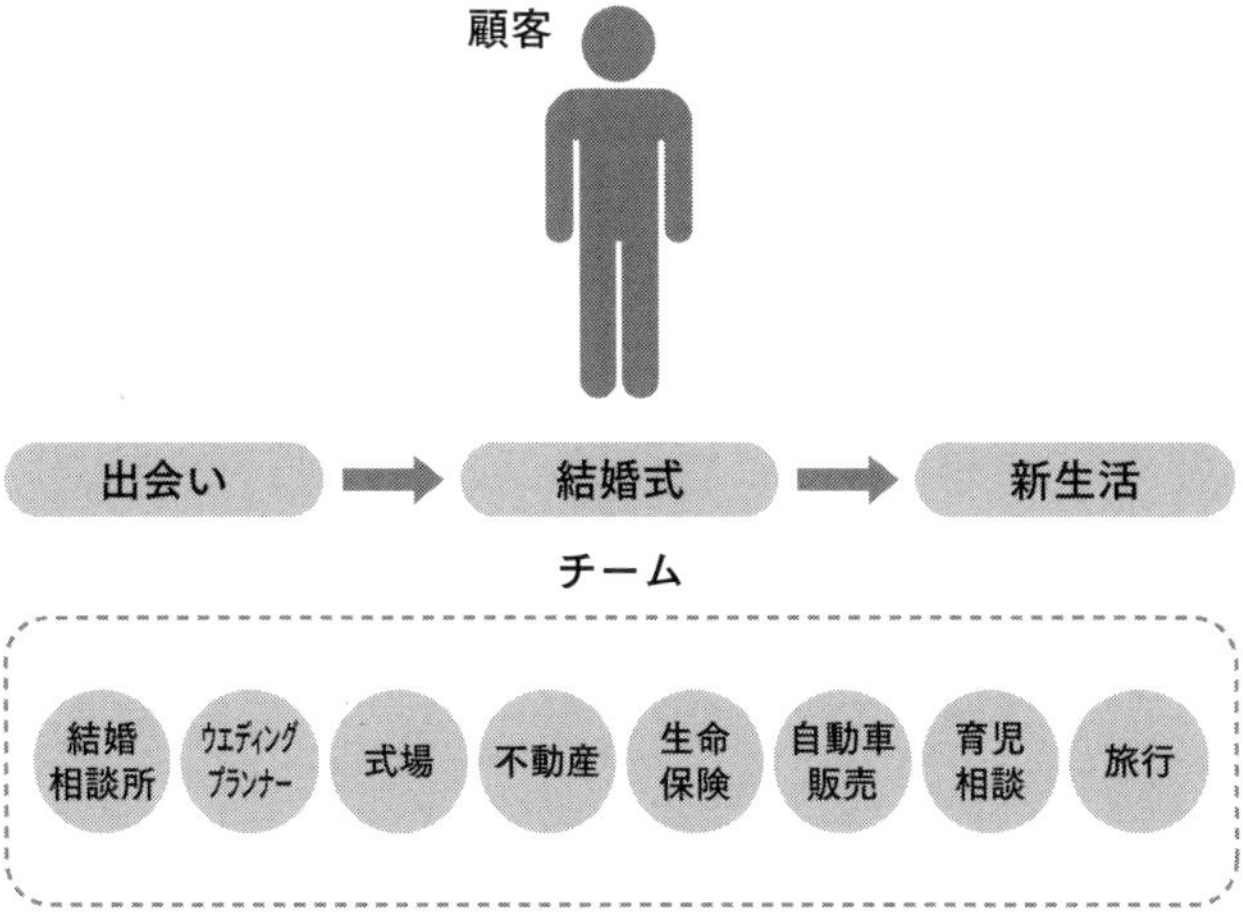

ます。

結婚相談所で成婚されたら、そこでサポートを終了するのではありません。結婚式をプロデュースできるフリーのプランナーの方と連携し、挙式・披露宴についてもチームでサポートします。

そして、結婚式が無事終われば、その後の新生活が待っているので、新居の購入や賃貸、新車購入、保険の見直し、子育て相談まで幅広くチームランスで関わることで、そのカップルの人生に深く関わることができるのです。

結婚というのは、人生の中でも最も大きなライフイベントと言っても過言ではありません。そのタイミングに関われるということは、大きなビジネスチャンスでもあるということです。

第5章の冒頭の「親和性」についての説明で、「結婚相談所」と「司法書士」も親和性が高いという話をしたのですが、その謎をここできちんと回答します。

結婚式には、自分の孫の晴れ舞台を見に、祖父母が参加されます。ここがポイントです。

結婚相談所として2人の出会いをつないだあなたのことを、家族は皆大きな感謝をしているのです。そんな感謝をされている人であれば、新郎新婦のお話だけでなく、ご家族にも自然と会話をすることができます。

たとえば、祖父母の方たちとの雑談の中で、もしかしたら自分の資産を今後どうするのかというような話を引き出すことができれば、前述したケース③の相続対策ビジネスにつなげることが可能です。

私の手がけるチームランスでは、このような形でブライダル関連ビジネスのチームランスと相続対策ビジネスのチームランス同士も協働するケースも度々あります。**人に深く関わることができれば、様々なビジネスチャンスを発掘することができます。**自分の業界とは関係ないと思わずに、広い視点を持つことによって大きな可能性を切り拓くことができるのです。

ケース⑤自治体ビジネス（入札事業等）

最後にご紹介するのは、「自治体ビジネス」のチームランスです。

自治体ビジネスは、**官民連携と言って、自治体だけでは解決できない「社会課題解決」に向けて、民間の企業が共同する事業の進め方**のことです。

社会課題は多種多様です。地域活性化、働き方改革、子育て支援、女性活躍支援、少子高齢化、中小企業支援、Ｗｅｂサイト制作、アプリ開発、グローバル教育、地球温暖化、観光対策、空き家対策、ＬＧＢＴＱ支援……など、いろんな社会課題があります。
あなたが行っている事業も、このような社会課題を解決できるものがあるかもしれません。

もし、該当するのであれば、自治体と連携して事業を進めることも可能です。普段、企業向けや個人向けに事業を行っている方でも、事業内容によっては、自治体から案件を受託することも視野に入れてみるといいでしょう。

その自治体から受託する一つの方法として、**「入札」**というものがあります。これは、自治体がある事業を委託したい民間企業を広く募り、条件を満たした企業がその事業の委託を受けるというものです。

入札に関しても、じつはチームランスとして参加することができるのです。自治体が公募する委託事業によっては、とても自分だけ、自分の会社のリソースだけでは対応しきれないような内容のものもあります。

図 5-5　「ケース⑤自治体ビジネス」

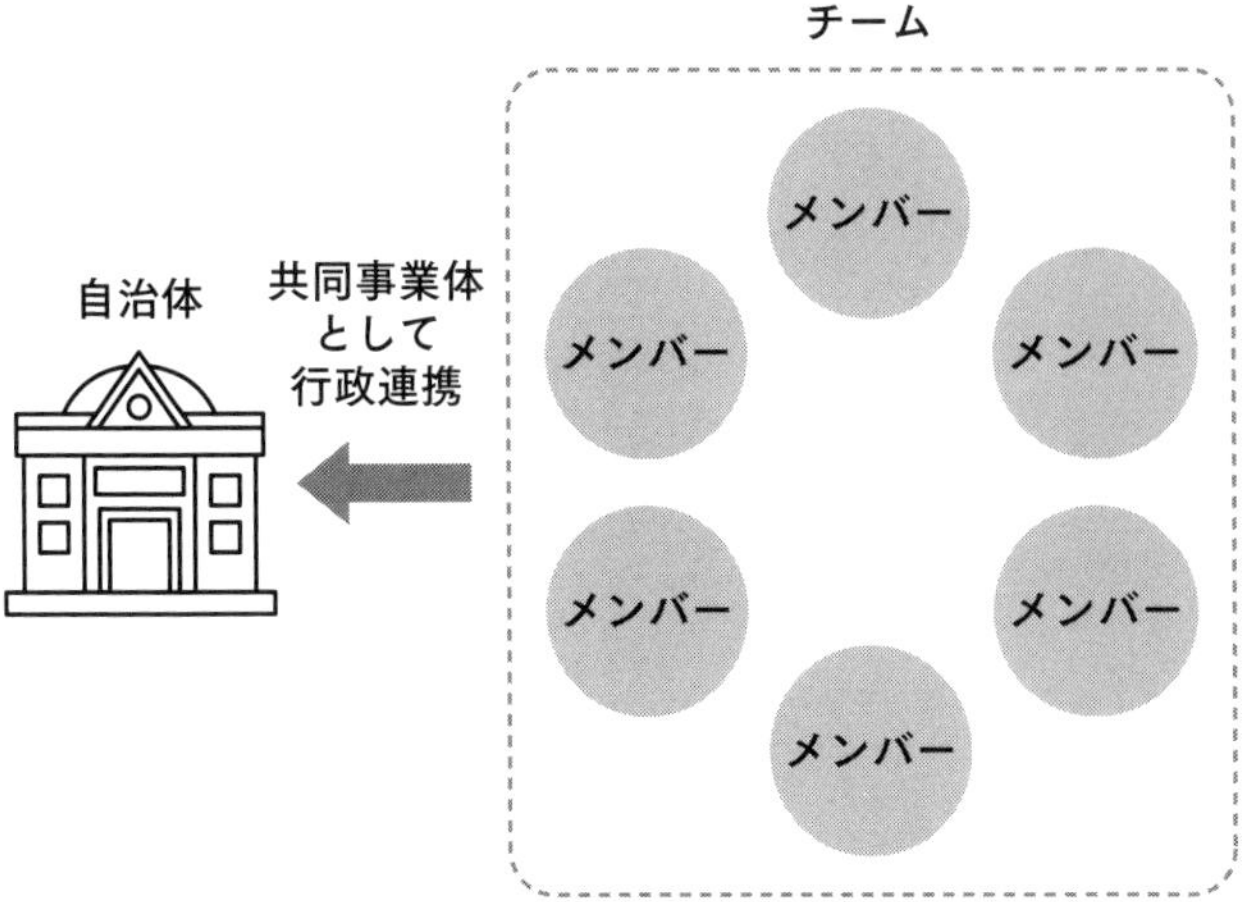

それを**チームランスとして、各分野のスペシャリストと「共同事業体」を作り、それでエントリー**をしても何ら問題はありません。

私が手がけている自治体ビジネスのチームランスは、入札事業だけでなく、自治体の課題感を独自に調査して、自治体に直接課題解決の提案を持ちかけたりもしています。

実際に進めてみるとわかるのですが、自治体の抱える課題は多岐にわたっており、それをワンストップで解決ができることを示せば、自治体と連携して事業を行うことは可能です。

ケーススタディを5つご紹介しましたが、いかがだったでしょうか。どれも実際に私がチームランスの設計から運営まで行っていて、成果実証済みのチームランスです。

これらはあくまでも一例に過ぎません。あなたの行っている事業分野も、成功方程式に則れば、成功するチームランスに仕上げることは可能です。

*

では、そんなチームランスを具体的にどんなステップで構築していけばいいのかを、次の第6章に細かくロードマップをまとめようと思います。

ゼロからでも順番通りに進めていけば大丈夫なので、しっかりと最初から読み込んで実践していってください。

第6章

無敵のフリーランスになる方法

ゼロから最強チームを構築するために、最初にやる「3つの準備」

それではここから、具体的に「チームランス」を作っていくためのロードマップをお伝えしていきます。

最初に注意点なのですが、どんなことにも共通することではありますが、**「順番を間違えない」ということが非常に重要**です。

前段階の準備の工数も含めると、大きく8つのステップになるのですが、きちんと適切な順番を守っていかないと、チームランスはうまく作り上げることができません。最強チームを作るためにも、必ずSTEP通りに進めていってください。

図6-1　ゼロから最強チームを構築するために、最初にやる3つの準備

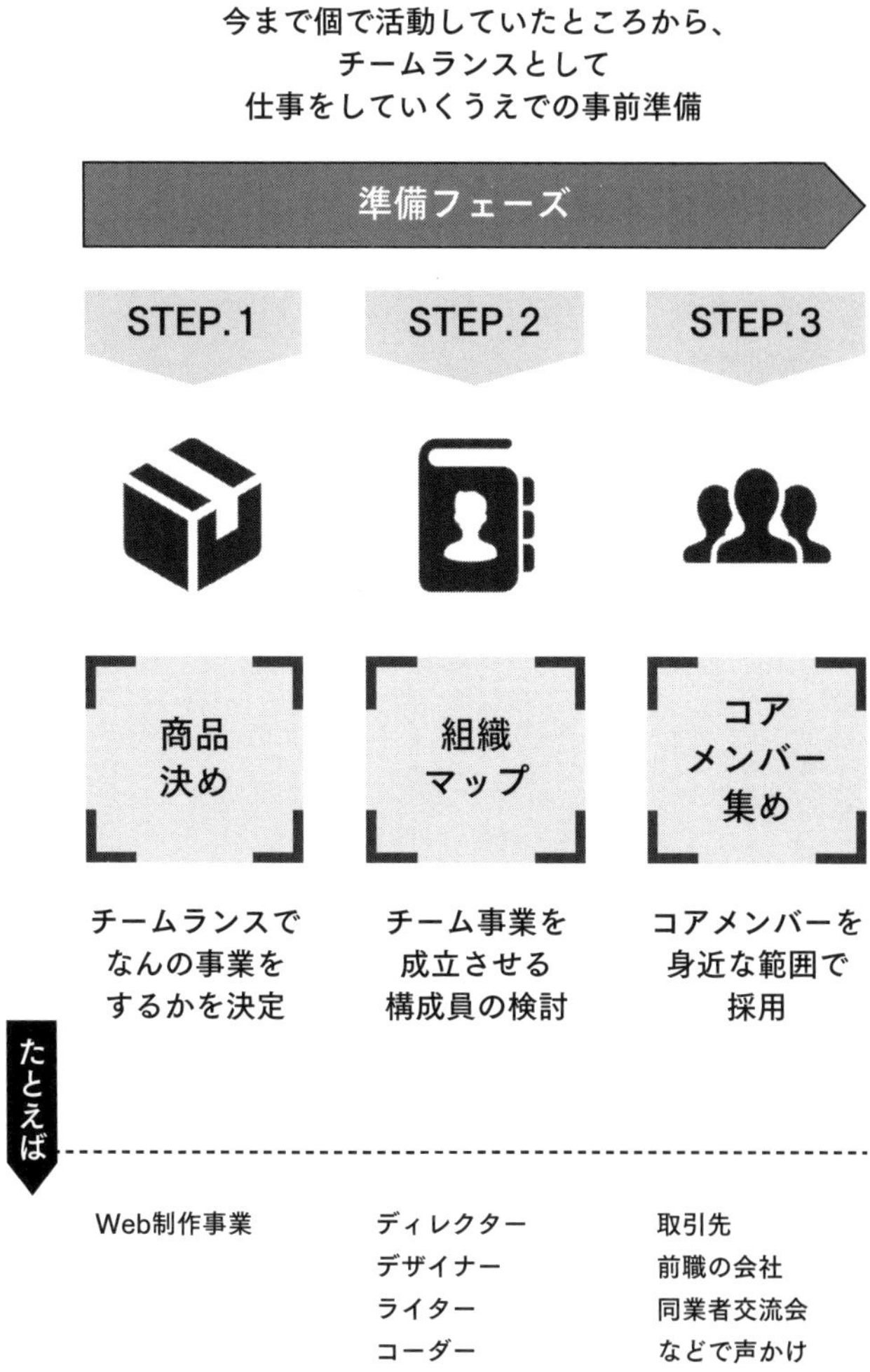

STEP❶「商品サービス」を決める

まずは、チームとしてどんな「商品サービス」を扱っていくのか、というのを決めていかなければ何も始まりません。

では、どういう基準でチームランスで扱う商品サービスを決めるのかというと、もちろん何でもいいわけではありませんので、よく考える必要があります。ここで、2つのポイントをご紹介します。

ポイント①「自分の本事業を拡大するため」に人の力を借りる

まず、チームランスにする「目的」から思い出してほしいのですが、そもそも「自分ひとりでの限界を突破するため」にチームを作るのです。ですので、まずブレてはいけないのは**「自分の本事業を拡大すること」**です。

「まったく未経験の分野の事業を始めたいから」というのももちろんいいとは思いますが、チームでのビジネスをしたことがないのであれば、それよりもまずは、自分のこれまでやってきている事業を拡大するためにチームを作るのが、最短で成果を上げることができ、チームランスの効果を実感しやすくなることでしょう。

チームで行うサービスを考えるうえでの観点は、自分が今行っているサービスをもう一度改めて俯瞰し、以下のポイントをチェックしてみましょう。

①このタスクは、誰か別の人にやってもらえたら業務が効率化できそう
②この分野について詳しい人がいればサービスの補強になりそう
③自分の苦手なこの部分をやってくれる人がいれば助かる

このようなポイントです。

自分の課題として、もっと集客できるような新しいルートができたらと思っているのであれば、影響力や発信力の高い人とチームを組むことを検討すべきです。

自分では対応できないが、もしチームにいれば自分のサービスとして付加価値がつきそうな分野がイメージできるのであれば、その分野の専門家とチームを組むように検討するのがいいと思います。

そうすることで、自分ひとりの力ではできないようなサービスの原形を考えることができます。

たとえば、「資産運用についても相談できる転職支援サービス」とか、「ネイル、マツエク、メイクなどが一つの場所で完結できるトータルビューティサロン」など、チームにすることで更なる価値をつけた商品サービスを考えてみましょう。

ポイント②「自分自身の得意分野」を明確にする

　また、チームでの商品サービスを作るうえで重要なのが、**「自分は何の専門家なのか、というポジショニングを明確にする」**ということです。

　第5章でもお伝えしましたが、もし自分の得意分野がぼんやりとしていたら、お互いに助け合える存在になり得るのかがハッキリしなくなり、チームとして組むことが難しくなります。

　チームとして組む相手の見つけ方は、大きく分けて2つが考えられます。

1つは、まったく異なる分野ではあるが、お互いに親和性の高い部分があって、チームとして成立するという場合。

2つ目は、同業界ではあるが、専門性がそれぞれ違うために、チームにすることで相乗効果を発揮するという場合。

　どちらの場合だったとしても、自身の専門性をしっかりと明確にしておくことがチーム作りにおいては重要です。

STEP❷「組織マップ」を作る

続いて、商品サービスの原形を検討したら、**チームとしてどんな人が必要なのかを考えるうえでの「組織マップ」**を作ります。

チームの全体像が見えないと、どうやって人を集めるのかがわからなくなるので、ここでしっかりと見える化をしておきましょう。ポイントは2つです。

ポイント①商品サービスを成り立たせるうえでの「必要構成員」を洗い出す

どんな組織メンバーにするのかを検討する際に大切なのは、先ほどの準備①で考えた商品サービスを成り立たせるうえでの「必要構成員」を洗い出すことから考えていきましょう。

たとえば、ホームページ制作の事業を今自分が行っていたとして、そこにさらに集客アドバイスを付加価値としてつけたいと検討していたとします。

であれば、集客のアドバイスのできる専門家をチームとして招く必要がありますが、誰でもいいわけではありません。ホームページの仕組みを理解し、ホームページを活用しての集客をアドバイスできる人であることです。

大枠の商品サービスがどんなものになるのかが明確でなければ、人を選定することができません。最初の準備段階は、完全に固まってなくてもいいので、チームメンバーをイメージできるレベルにまで商品サービスを検討しておきましょう。

ポイント②法務、事務経理、広報……会社に存在する部署から考える

商品サービスを成立させるうえでの「専門性」という観点ももちろん大事ですが、「組

織マップ」を作り、メンバーに必要な人を考える際のポイントは、**通常会社に存在する部署から考えることも重要**です。

たとえば、法務、事務経理、広報……など、会社には様々な部署が存在しますが、どれも仕事を回すためにはなくてはならない業務になります。フリーランス、起業家というのは、こういった各部署を自分ひとりで回しているので大変だという話を前述しました。

チームランスを作る大きな意義としては、まるで会社にあるような部署を、業務委託で柔軟に対応してくれる環境を整備することにあります。どの業務も大事ですが、それを従業員として雇用するのはコストやリスクを負わなければなりません。

ただ、こういった業務が得意なフリーランス同士が互いにチームとなって協調することは可能です。

ここで一つアドバイスですが、その業務を専門でやっていなくても大丈夫です。たとえば、広報を専門特化してやっていない人でも、広報が得意ということであれば問題ありません。自分が苦手な部分を、いとも簡単にやってしまう人がいるわけです。

SNSでの情報発信に抵抗があるのならば、それをやれる人をチームに迎え入れてやってもらえば、広報の部分は成立します。

自分が書類の整理やメール対応が苦手ならば、細かな部分にまで気を回せて事務仕事をそつなくこなすことができる人をチームに入れれば、事務経理の部分は成立します。

このように、**自分だけでは解決できない領域を見える化し、マップにすることで、どんな人をチームとして集める必要があるかがクリアになります。**

STEP❸「コアメンバー」を集める

チームランスの設計図とも言える「組織マップ」を作ることができたら、実際にメンバー集めをしていく必要があります。恐らくあなたも、どうやってそのチームメンバーを集めるのか？　と疑問に感じていたかと思いますが、そのメンバーを集める最初の一歩について、ここではまとめていきます。

ポイント①クライアント、顧客、取引先などに直接声をかける

チームメンバーを集めるための第一歩は、**「クライアント、顧客、取引先」などに直接声をかける**というところからのスタートです。

これには明確な理由があります。**チームで動くために最も重要なのは、「相互理解」**です。お互いの事業の専門性や人柄などを総合的に理解し合える関係性でなければ、チームランスとして事業を成長させることはできません。

そうなれば、**一番あなたのことを理解している関係性は、あなたのサービスを既に受けたことのあるクライアントや顧客、サービスについて理解のある取引先などがベスト**と言えるのです。

私の場合は、独立・起業支援・経営コンサルティングを自身でやっているからこそ、あらゆる業種のフリーランスや経営者の方との関係性が作れるため、クライアントや顧客がそのままチームランスとして組んでいくことも少なくありません。

それは私自身の事業の拡大ももちろんですが、クライアントの事業拡大にも私がチームとして動くことで支援できるという側面からも有用だと考えて取り組んでいます。

あなたのクライアントや顧客が自分の事業と親和性が高いのであれば、チームランスとしてすぐに活動できる可能性が高いので、声をかけてみましょう。

また、これまではチームというほどの近い関係性ではなく、**たまに仕事で一緒に動くケースがあるという程度の取引先などにも声をかけてみる**というのも有効な方法です。

声をかけてみると、意外と向こうも満更でもないという反応を見せてくれます。よりビジネスを加速させたいと思うので、密に連携をしていきたいと考えていると言えば、何かしら前向きに検討してくれるでしょう。

チームとして活動したいと声をかけるのは、ある意味「交渉」です。相手にとってチームランスとして活動することがメリットにならなければ、その人は動いてくれません。どんなことがその人にとってのメリットになるのかは、きちんと言語化できるようにしましょう。

ポイント②まずは2人、多くて4人からチーム作りを始める

メンバー集めで絶対やってはいけないのは、**「いきなりたくさんの人数を集めようとすること」**です。

まずは2人、多くて4人からチーム作りを始めるのが鉄則です。

組織というのは、人数が多くなればなるほど話がまとまらず、動くのも大変です。チームランスとして形になりきっていない段階で人を増やすのは得策とは言えません。

誰か別の人と一緒に協働して事業をやることに不慣れな方は、まずは最少人数の2人

から始めてみましょう。

「自分にできない部分を相手に任せ、相手のできないことを自分がやる」という考え方がしっかりと自分のものにすることができれば、人数を増やしていっても問題はありません。

ただ、2人だと意見が分かれたときに、なかなか終着点が見つからない可能性もあるので、人数のお勧めとしては、3～4人がチームランスの初動としては経験上うまく回ります。

第三者的な意見で考えがまとまるケースが多いのと、「3人寄れば文殊の知恵」とも言うように、3人いればチームとしての力は高まり、ひとりでは解決できない課題に向き合うことができます。

今後、人数が増えてチームランスが規模を拡大していったときに、最初に声をかけた人たちが「コアメンバー」となり、チーム全体を動かすうえで大きな役割を果たしてくれることでしょう。

個の力を最大限に発揮できるチームランスを作る「5つのステップ」

前段階の「3つの準備」でチームランス作りの第一歩を進めることができていれば、ここから具体的な構築のフェーズに移っていきます。

STEP❹「理念」を作る

最初にやるべきことは「理念」作りです。

これは、個人単体で事業を行うときであっても、会社として事業を行うときでも作りますが、チームランスでも必ず理念は必要です。

「理念」とはつまり、自分が、そしてチームメンバーがどこに向かって進んでいくのか

という、言わばコンパスです。コンパスがなければ全員が迷子になってしまうので、必ず理念は考えましょう。

ポイント①「チームメンバー全員の共通価値観」を言語化する

理念を考える際のポイントとしては、「チームメンバー全員の共通価値観」を言語化することが重要です。

もし仮に、あなたがチームメンバーを集めて、リーダーとしてやっていくとしても、あなた個人の考えだけで理念を作成してはいけません。皆が共通で「それだ！」と言える価値観を言語化していかなければ、メンバーは違う方向へ行ってしまいます。

「そのチームでどんな世界を作ろうとしているのか、何を重要視して活動するのか」をきちんとチーム全員の中で話し合ったうえで、言葉にしていきましょう。

チームでの理念を言葉にするときのコツは、**「難しい表現はせず、皆がわかりやすいものにする」**ということです。理念はカッコよくて、こだわったものにしたいという気持ちはわかります。

ただ、その理念を常にチームメンバーが意識し、言葉にできなければチームとしては機能しません。意味もわかりやすく、すぐに言葉に出しやすい、より身近な言葉でもって表現することをお勧めします。

ポイント②チームで集まる度に必ず言葉に出す

じつは、これが**チームランスを強い組織にしていくために一番大切なこと**なのです。言語化された理念も、自分の心のうちにしまっておいても意味はありません。チームランスの理念は、チームランスのメンバーそれぞれが常に意識し、その理念に基づいて行動するための絶対的なものです。

残念なことに、チーム結成当初は理念も認識し進めていたとしても、何もしなければ段々とその気持ちや思いも薄れていくものです。

では、どうすればいいのか？　それは、**「チームで集まる度に必ず言葉に出す」**のです。自分たちのチームは、こういう理念に基づいて行動をする、ここを目指して協働する、という意識を常に刷り込むようなイメージです。

私の会社のチームランスでは、定期的に既存のチームメンバーと今後チームに加入を考えている人たちが一斉に集まる場を開催しているのですが、代表である私が全員に対して理念を伝える場面を必ず設けています。

そうすることによって、今いるメンバーが再認識することはもちろん、これから新たにチームランスに加入する人に対しても、「うちのチームは〇〇を大事にしているチームである」ということを伝えることで、最初の段階で一緒に動く方向性のずれが出ないように工夫しています。

STEP❺「ビジネスモデル」を作る

次にやるべきことは、チームランスで行う事業の「ビジネスモデル」を作るということです。

チームランスのビジネスモデルとは、つまり**「チームランスが収益を上げるための仕組み」**のことです。ひとりの単体で売上を上げるだけでなく、「どうすればチームとして売上を上げることができるのか」ということを考えなければなりません。

まず大事なのは、**「ひとりで稼ぐビジネスモデルの考え方と、チームで稼ぐビジネスモデルの考え方はまるで違う」**ということを頭に置いておいてください。

「一緒にビジネスしよう!」「コラボしよう!」と最初はノリノリで集まったとしても、「お金を生み出せないがゆえに解散してしまう」のが、チームでビジネスをするときの大きな課題なのです。

では、どうすればチームで稼げるビジネスモデルを作ることができるのか。ここでは、そういったビジネスモデルを作るうえでのポイントを紹介します。

ポイント①「専門性×親和性×ネットワーク性」を発揮できる仕組みにする

第5章でお伝えした、チームランスの成功方程式を思い出してください。「専門性×親和性×ネットワーク性」、これが発揮できるビジネスモデルにすればうまくいきます。

たとえば、第5章のケーススタディで挙げた、「コンサルティングサービス」のチームランスは、まさにこの成功方程式に則ったビジネスモデルです。

ひとりでコンサルティングサービスを提供していれば、大きく2つの限界点が出てきます。**一つは「できることの限界」、もう一つは「時間の限界」**です。

自分の専門性を自分ひとりで提供していることは、そんな限界に向かって真っ直ぐに進んでいることを表します。そして、そのような悩みを抱えている同種の人たちがたくさんいるのです。

チームでコンサルティングサービスを提供することによる、ビジネスモデルとしての観点で挙げられるメリットはいくつかあります。

まず、**集客チャネルが増えるため、ビジネスチャンスが何倍にも増えます。**自分ひとりで活動していれば、1つだったチャネルが、5人チームで動くとなれば、単純計算で5倍になります。

また、**ひとりの顧客に対して提供できる武器が増えるため、顧客単価がアップします。**集客数、顧客単価がチームにすることで増加すれば、おのずと売上は上がっていきますので、ビジネスモデルとしてもかなり効果的だとおわかりいただけるでしょう。

ポイント②全員にうまく「報酬配分」される仕組みにする

ここが一番難しいと言っても過言ではない、「報酬配分」の考え方です。お金のことが絡むと、トラブルは起きやすくなります。

せっかくお金を生み出せる商品サービスができたとしても、チーム内での報酬配分がきちんとできる形になっていなければ、ビジネスモデルとして回っていきません。

報酬配分のパーセンテージを決めるのは、初めてチームで仕事をする人にとっては未知のことかと思います。参考になればと思い、ここでは報酬配分の考え方をお伝えしようと思います。

まず、報酬配分を決める基準は、**「業務量」「関係性」「業務の経験値」**です。

たとえば、サービス担当者Aさんと営業担当者Bさんがいて、サービス担当者Aさんのほうが業務量が多いとすれば、Aさん：Bさん＝70％：30％くらいの配分比率になるでしょう。

もし、最終のクロージング作業もAさんがやり、Bさんは案件を見つけてきて取り継ぎだけするという場合であれば、Aさんの報酬配分は増えて、Aさん：Bさん＝85％：15％に変わります。

また、同じ業務を担当する人がチームランス内に複数いたとして、業務の経験値にばらつきがあるのであれば、その経験値に合わせて、報酬比率も微妙に調整する必要があります。

実際に配分比率を決めて運営してみると、そのまますんなり受け入れられる場合もあれば、チーム内で要望やちょっとした不満が出たとすれば、その声をしっかりと反映させて、柔軟に調整するのも大事なことです。

STEP❻「ルール」を作る

ルールがなければチームは動きません。第4章でお伝えしたように、失敗しがちなチームというのは、チーム内の運営ルールというのがありません。

メンバーが自由に活動できるようにするために、ルールというのは逆にきちんと定めたほうがいいのです。

チームランスを運営するためのルールというのは何かというと、**チーム内での運営規約や業務委託契約、チームとして案件が取れた場合の報酬配分規定など**であり、多くの場面でルールや決まりというのは設定すべきです。

ポイント①「小さなこと」がチーム内のトラブルの原因になる

チームというのは、それぞれ異なった性格や価値観の持った人たちが集まっているため、ちょっとしたトラブルが起こるのは当たり前です。そういったトラブルが起こるのを未然に防ぐために、ルールを設けておくことが大切です。

たとえば、チーム5人でクライアント1社に対してサービスを提供する形で進めていたときに、メンバーのAさんは、他のメンバーに事前に相談をしてからクライアントにコミュニケーションを取るようにしていたとします。

それは、他のメンバーに確認を取ってからでないと、全体の足並みが揃わないから、きちんとしたいという考えのもとでの行動です。

一方、メンバーのBさんは、他のメンバーに事前相談することなく、クライアントにコミュニケーションを取っていました。それによって、他のメンバーの知らないところで話が勝手に進んでおり、クライアントからもチーム全体に対して不信感を持たれてしまうような状態になってしまいました。

これは一見Bさんが悪いと見なされそうですが、チーム全体としてのルール決めができていなかったとすれば、Bさんだけを責める理由にはなりません。

もし、このようなトラブルを起こさないようにしたいのであれば、チームとしてクライアントに連絡を取る際には、事前にチーム内で相談をしてから連絡をする、という統一ルールを作ることです。

ルールを作っておけば、誰もがそれに沿って動くことができ、顧客との関係性も悪くならず、チーム内でのちょっとしたトラブルになることもなくなります。

「連絡の仕方なんて」と馬鹿にせず、**「小さなことでもトラブルの原因になる」**とアンテナを立てながらルール設計をしていくことが肝心です。

ポイント②仲間内でもきちんと「書面」で取り交わす

トラブルが起きる一つの原因として、**「言った、言わなかった問題」**があります。一方は、あのとき○○と言ったと記憶していると主張するが、もう一方は言っていないと主張する。

こういう局面は、あなたも遭遇したことがあるかもしれません。チームランスとして活動する場合でも、このようなことは起きる可能性は十分にあります。

では、そのような食い違った主張にならないようにするにはどうすればいいのか。それは、**「書面に残す」**ということです。端的に言うと、チームランス内での規約や業務委託契約などを「契約書」としてきちんと書き残し、両者できちんと保管しておくのがベストです。

「チームだから、仲間だから、そういうのは作らなくていい」というのは間違っています。仮に、「近い関係性だから、お互いにトラブルになんてならないから大丈夫」というのは、甘い考えです。

私は、過去様々なチームを見てきましたし、私自身もチームとして仕事をしてきた経験から、お金や仕事が絡むと最初は小さなことでも、一気に大問題に発展するということを痛いほど理解しています。

最悪の場合は、仲違いになり縁を切ってしまう、さらには損害賠償請求で裁判沙汰という、悲しい結末になることだってあります。

まぁ大丈夫だろうではなく、きちんと法律家の方に相談し、チーム内でのルールを決め、それを書面に残すことは必ず実行しましょう。

STEP❼「人員体制」を作る

ここまでのステップはどちらかというと、チームランスのハード面の整備でしたが、ここからは、チームランスの根幹となる「人」の部分をどのように整えていくかという内容に入ります。

チームには様々な才能を持ったメンバーが集まっていますが、それぞれが役割を持って動かなければ、せっかくのチームも機能しません。チームランスがうまく回って、成果を上げていくためのポイントを整理していきます。

ポイント①才能、得意が活きるポジションを作る

まず重要なのは、**「メンバーの才能や得意なことを把握し、それが活きるポジション**

をあえて作る」ということです。

チームが一致団結して動くために大事なのは、**「役割」**です。役割がなければ、何をすればいいかわからなくなったり、チームに対して自分が貢献する気持ちが薄れていきます。一般的な会社でも、肩書きやポジションがあるように、チームランスでも役割を作るとうまくいくのです。

たとえば、仕事が丁寧でマメな性格、自分のことよりも他の人のことを優先するようなタイプのメンバーがいれば、チーム全体の他のメンバーにこまめに連絡を取ってもらって、不満や要望を吸い上げるような役割になってもらうこともいいでしょう。

また、営業は苦手で数字を生み出すことは向いていないが、事務仕事は誰よりも早くできるメンバーがいれば、チームメンバーの事務作業を率先して受ける役割が適任です。

そのような形で、それぞれのメンバー全員が何らかの役割を担えるようにポジションを設定し、チームで活動する際にはその役割を全うしてもらうようにすれば、チームとして団結することが期待できます。

ポイント②最初は小さく、大きくなればサポート役を作る

先ほど、「まずは2人〜4人からチーム作りを始めよう」とお伝えしました。やはり、人を動かすというのは苦労が多く、最小単位で結果がついてきたら規模を大きくしていくのがセオリーです。

規模を大きくできる時期になってきたら、次の悩みとしては、もしあなたがチーム全体のリーダーとなった場合、人が増えてくると、全員の細かなところまで目が行き届かなくなってくるのです。

組織が大きくなればなるほど、上の役職者は下の社員のことが把握できないというところが、一般的な会社組織と似ていますが、チームランスも同じです。チームランスのリーダーは、そういったマネジメント面での悩みが出てくるのです。

それを解決するためには、**サポート役となる「中間管理者」を配置する**のがいいでしょょ

う。リーダーであるあなたの考えを理解し、他のチームメンバーの気持ちも理解できる、ちょうど真ん中に入れる人が適任です。

チームのトップの仕事は、チーム全体の方向性を指し示し、高みを目指すことです。チーム全体をまとめるのはもちろんですが、すべてをリーダーひとりで抱える必要はありません。

特に、メンバーひとりひとりのちょっとしたことにまで首を突っ込む必要はなく、別の人でも対応ができるようなことは、チーム内での適任者にサポート役を任せましょう。結果的に、そうやって役割をきちんと分けることが、チーム全体にとってプラスに働くのです。

STEP❽「資料」を作る

チームランスで活動する際に、私が特に重要だと感じているのが、様々な「資料」です。**チームで成果を上げるためには「全員が共通認識を持つこと」が大事ですが、それを現実にしてくれるのが「資料」**なのです。

どんな資料を作ることで、チームランスにとってプラスになるのか、具体的にポイントを整理していきます。

ポイント①チーム内で大事な情報を共有する「シート」を作る

チームとして活動していて、全体で共有すべきことには**「顧客情報」「メンバー会議の議事録」「チームでの収支表」**などがあると思います。これらの情報は、メンバー全体で常にチェックできるようにしておきましょう。

普段は、それぞれが別々で活動しているフリーランスがチームとして活動するとなれば、いつでもどこでもチェックできるような情報管理の形式がいいでしょう。

たとえば、Ｇｏｏｇｌｅのスプレッドシートに情報を整理しておきます。メンバーだけが閲覧編集できるように設定しておくことで、自由にシートの情報を編集することができ、それをメンバーがチェックすることで、チーム内での情報共有はすぐに行うことが可能です。

スプレッドシートは、自動保存されてオンライン上で管理されているため、保存期限が切れてファイルが見られなくなってしまうという問題も起こらないし、誰もが使いやすい仕様になっているため、チームでの情報整理にはぴったりなツールです。

もし仮に、こういったシートがなく、それぞれがバラバラに情報を持っている状態だと、チームとしての可能性を狭めてしまうため、常に情報を発信し共有できる資料を整えておくことで、仕事の効率も上がり、成果も大きくなります。

ポイント②顧客にもチーム内にも伝わる「サービスの資料」を作る

チームランスとして提供する商品サービスができたら、必ず「資料」にして見える化をしましょう。これは、最終的に提案をする顧客に対しても意味のある行動ですが、じつはチーム内のメンバーにとっても価値のある行動が資料作りなのです。

自分だけがサービス提供に関わっているのであれば、資料はなくても問題はないのですが、チームで複数人が同じサービスを提供するとなった場合には、資料として見えるようになっているかどうかで成果の大きさが全然違います。

要は、**メンバー全員に「自分たちはこういうサービスをしているんだ」という認識を持たせることができるのが資料**です。

私はたくさんのチームランスを自社内で作っていますが、そのチームランスでの商品サービスを開発したときには、必ず最初に資料を作ります。

なぜ資料を作るのかというと、「このサービスを皆で力を合わせて世の中に広げていくんだ！」というイメージを一気に持たせることができるからです。

チームランスで活動する際に必要な考え方は、**「いかに全体を巻き込んで動けるか」**ということです。「百聞は一見にしかず」、チーム内のコミュニケーションを円滑にするためにも、目で見てすぐに伝わる工夫をすれば、あなたのチームは急速に拡大することでしょう。

図 6-2　個の力を最大限に発揮できるチームランスを作る５つのステップ

仕組みフェーズ			運用フェーズ	
集まったメンバーで円滑に仕事を進めるうえでなくてはならない仕組みの構築			出来上がったチームランスの最大価値を発揮し運用する方法	
STEP.4	STEP.5	STEP.6	STEP.7	STEP.8
理念作り	ビジネスモデル	ルール作り	人員体制	資料作成
チームメンバーの共通価値観の言語化	チームだから効果を発揮する仕組みの検討	チーム内のトラブル防止契約書	得意なことを発揮できる役割分担	チーム内外へ情報共有する資料作り
・高品質 ・ハイスピード	・得意分野で分業し、納期早く高品質な納品物で単価をアップする戦略	・チーム内の業務委託契約書 ・報酬体系	・営業→Aさん ・全体統括→Bさん ・納期管理→Cさん	・顧客情報 ・議事録 ・収支表 ・サービスの資料

第7章

ゼロから1億円は こうして生み出せ

ゼロから1億円を生み出す、4つのチーム戦略

第6章では具体的なチームを作る手順についてお伝えしましたが、ここからはチームをうまく機能させて、実際に収益を上げていくための**「売上アップ戦略」**にフォーカスしていこうと思います。

チームというメリットを活かしてのビジネスモデルは多種多様です。ひとりであれば限られる打ち手が、チームとなることで取りうる選択肢が一気に増えるのです。今、ひとりで活動していて、自分の身一つだけの限界を感じている方にとっては、きっと希望の光を示せることでしょう。

チーム戦略としては様々ありますが、本書ではその中でも取り組みやすく、すぐに成果の出る戦略について4つご紹介していきます。

戦略①「高単価」なサービスで稼ぐ
→個人では獲得不可能な対法人、対行政等の案件が獲得できる

最初にご紹介するのは、チームランスにすることで「高単価」なサービスを構築し、売上アップをする方法です。ビジネスをより賢く伸ばしていくためには、「単価アップ」は不可欠な要素です。

ただ、ひとりであれば単価アップをしようにも、限界があります。なぜ限界が来るのかというと、理由は大きく２つです。

１つ目に、**「自分のリソースに限界がある」**ということです。

単価を上げられる要因の１つには、「顧客の課題を多く解決できるから」ということが考えられますが、いくら色々こなせるスーパーマンだったとしても、自分がビジネスとして対応できることには限りがあるはずです。

あれもこれもできますか？　と聞かれても、あなたの引き出しには限界があるはずなので、解決できる課題は限定的にならざるを得ず、単価もある一定の範囲で留まってしまうでしょう。

2つ目に、**「顧客層に限界がある」**ということです。

個人のフリーランスや起業家は、ハイレベルな顧客を相手にするのは難しくなります。わかりやすい例で言うと、対法人での取引を進めようと思っても、「うちは一個人の方からのご提案を受けることができません」と言われることもあります。

フリーランスは身軽であるというメリットと引き換えに、場合によっては門前払いを食らうという致命的なデメリットもあるのです。

そんなときに、チームランスは大きな効果を発揮します。**チームにすることで、顧客のニーズとしてはありながらも、これまで自分ひとりでは提供できなかった部分も可能になったことで、一気に単価をアップさせることができる**でしょう。

前述のおさらいになりますが、単価というのは単一の商品サービス単価だけでなく、「顧客生涯価値＝ＬＴＶ（ライフタイムバリュー）」という考えがここでも大切になってきます。

一回のサービス提供で終わらせるのではなく、追加購入していただいたり、別のサービスも購入してもらうことを意識すべき、ということでしたね。

加えて、じつは意外なことかもしれませんが、こうやって**単価を上げることは、同時に「顧客満足度を上げる」ことにもつながっている**のです。

どういうことかというと、「悩みAについても悩みBについても悩みCについても、〇〇さんのチームに相談すれば解決できるから嬉しい。ちなみに、悩みDについても対応可能ですか？」という具合で、様々な悩みに対して包括的にチームで解決できることは、顧客満足度を上げて、追加での依頼を受けやすくなるのです。

顧客層のレベルアップも、チームランスにすることで容易にできます。まず、**今までひとりでは太刀打ちできなかった法人に対しての提案も、チームランスにすることで提**

案に入りやすくなります。

法人からすれば、個人から提案されるよりも、複数メンバーのしっかりとした組織体制で対応してくれるという安心感を抱きます。

また、法人は抱える課題も個人よりも多岐に渡るので、それを包括的に支援してくれるとなれば、それも提案を受け入れやすくなる理由の一つになるでしょう。

個人よりも法人のほうが、予算も大きく準備することができ、また手元資金が仮になくとも金融機関や投資家等から資金調達をすることで、大きなお金を動かしやすくもなります。

チーム体制で法人から契約が取れるようになるのは、あなたにとっても大きな飛躍となることでしょう！

さらには、チームランスにすることで、**行政からの案件を受託することも可能**となります。官公庁、自治体から民間に発注される予算は、年間22兆円もの巨大市場があります。

それだけたくさんのビジネスチャンスがあるのにも関わらず、ほとんどのフリーランスや起業家はそういった事実を知りませんし、知ったところで「個人事業の私には関係ない」と思ってしまうケースがほとんどでしょう。

確かに個人単体だとなかなか難しい行政からの案件受注も、チームランスにすることで獲得することができるようになるのです。

今まで行けなかった新たな市場を開拓し、高単価な案件受注を可能にするのが、チームランスの稼ぎ方戦略の一つです。

戦略②「ワンストップ」なサービスで稼ぐ
↓顧客の課題をすべてチームで受けて、他社に流出させない

次にご紹介するのは、チームランスにすることで「ワンストップ」なサービスを構築し売上アップをする方法です。

「ワンストップ」サービスとは、**「1ヶ所で様々なことがなんでも揃う」**を実現するサービスの形態です。私の体感上、チームランスでのビジネスを構築したことで、最も顧客から支持されているのが、この「ワンストップ」サービスです。

要は、**「あなたのチームに相談すれば、〇〇ということに関してはすべて対応してもらえる」という状況を作り出す**ということです。

たとえば、私が手がけているチームランスには、「相続対策ビジネス」を行っているチームがあります。そこでは、弁護士・税理士・司法書士・ファイナンシャルプランナーなどがチームを組んで、高齢者の方の相続対策について「ワンストップ」でサポートできるる、という体制を取っています。

この「相続対策」のチームランスですが、お客様から非常に高い評価をいただき、相談対応をたくさんいただいているのですが、その人気の一番大きな理由が「ワンストップ対応」という点なのです。

図7-1 「戦略②『ワンストップ』なサービスで稼ぐ」

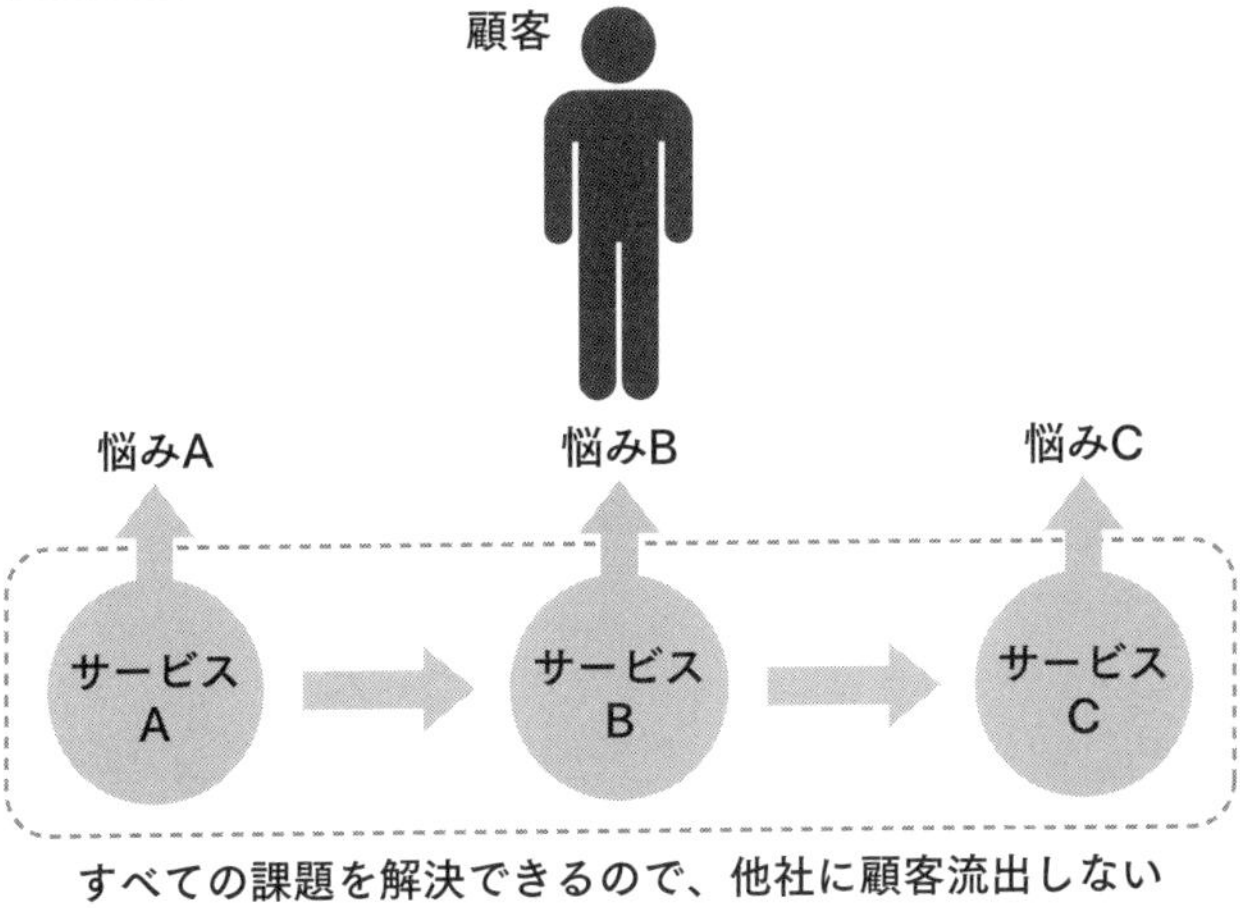

では、なぜ「ワンストップ」が好評の理由なのでしょうか？　それは、「何を誰に相談すればいいかわからない」という顧客心理を突いているからです。

具体的に言うと、相続の悩みは非常に多岐に渡ります。相続税をあまりかからないように節税したい、相続した家族が揉めないように事前に対処したい、特定の相続人に相続させたい、遺された遺族に面倒な相続手続きをさせたくない、認知症になったときに財産管理を任せたい……と挙げればキリがないくらい悩みが出てきます。

そんな悩みを解決できる専門家という

のが法律家の方々なのですが、一般の方々にとっては敷居が高く、またそれぞれの専門家が何のことを対応してくれるのかが判別できないのです。込み入った話なので、きちんとした方に相談したいけど、誰に相談すればいいかわからないのです。

そこで弊社のチームランスでは、「相続対策に精通した各専門家のチームを組んでいるので、窓口一つですべての悩みをワンストップで解決できる」のです。つまり、「どこに相談すればいいかわからない」という方の悩みにピッタリなサービス展開をして、売上を拡大しているのです。

先ほどの例はほんの一例に過ぎません。「ワンストップ」サービスに展開できる分野はもっとたくさんあります。モノやサービスが溢れているこの現代において、顧客はそのたくさんの選択肢の中で選んでいく必要があります。

より良いものを選びたい、という気持ちももちろんありますが、モノがありすぎる中で様々な企業や個人から、その都度最善の選択を取ろうとするのも無理があります。

「ワンストップ」で対応できるというのは、そういった選択の手間を省くことができるので、選ばれる理由の一つにもなるのです。

売上アップのポイントとしては、**「顧客を他社に流出させないように囲い込む」**というのも大事です。一度他社に流れてしまった顧客をまた自社に引き戻すのは、かなりの困難を要します。

そうなる前に、すべて自分たちのチームランスで囲ってしまうことで、ビジネスチャンスを確保しましょう。たったひとりでは難しい囲い込みも、チームにして、ワンストップサービスを実現することで、可能になるのです。

戦略③「分業制」のサービスで稼ぐ
→自分の得意分野に特化でき、パフォーマンスが最大化、案件数も増加

次にご紹介するのは、チームランスにすることで「分業制」のサービスを構築し、売上アップを目指す方法です。

「分業制」と言うのは、**「ある一つの仕事を細分化して、チームで分担し、自分の得意なところにフォーカスさせる」**やり方です。

フリーランスのデメリットとして、「自分ですべてやらなければならない」ということを前述しましたが、これはパフォーマンス（生産性）がとても下がります。

なぜなら、苦手なことも面倒なことも、すべて自分でしなければならないからです。であれば、なるべくそういったことを自分がしないような仕組みにしてしまえば、パフォーマンスは上がり、イコール売上が上がるということになりますよね。

たとえば、「顧客に経営コンサルティングサービスを提供する、という仕事の一連を分業制にする」ということをケーススタディとして考えてみましょう。やるべきことを簡単に分解していくと、次のようになります。

①集客・顧客アプローチ②提案営業③契約事務手続き④コンサルティングサービス提供⑤アフターフォロー……。

細かくしすぎるとキリがないので、大きく5つに分けましたが、ひとりでコンサルティングサービスを提供している人は、これらすべてを自分だけで実施しているわけですが、当然ながら得意不得意な部分があるはずです。

たとえば、②の提案営業のところがどうしても苦手意識があるとか、③の事務の細かい作業が苦手とか、⑤の丁寧なフォローが手間がかかってやりたくないとか、様々なことが考えられます。

こういった苦手なことや、正直なことを言うとやりたくない業務の部分が出てくると、

図 7-2 「戦略③『分業制』のサービスで稼ぐ」

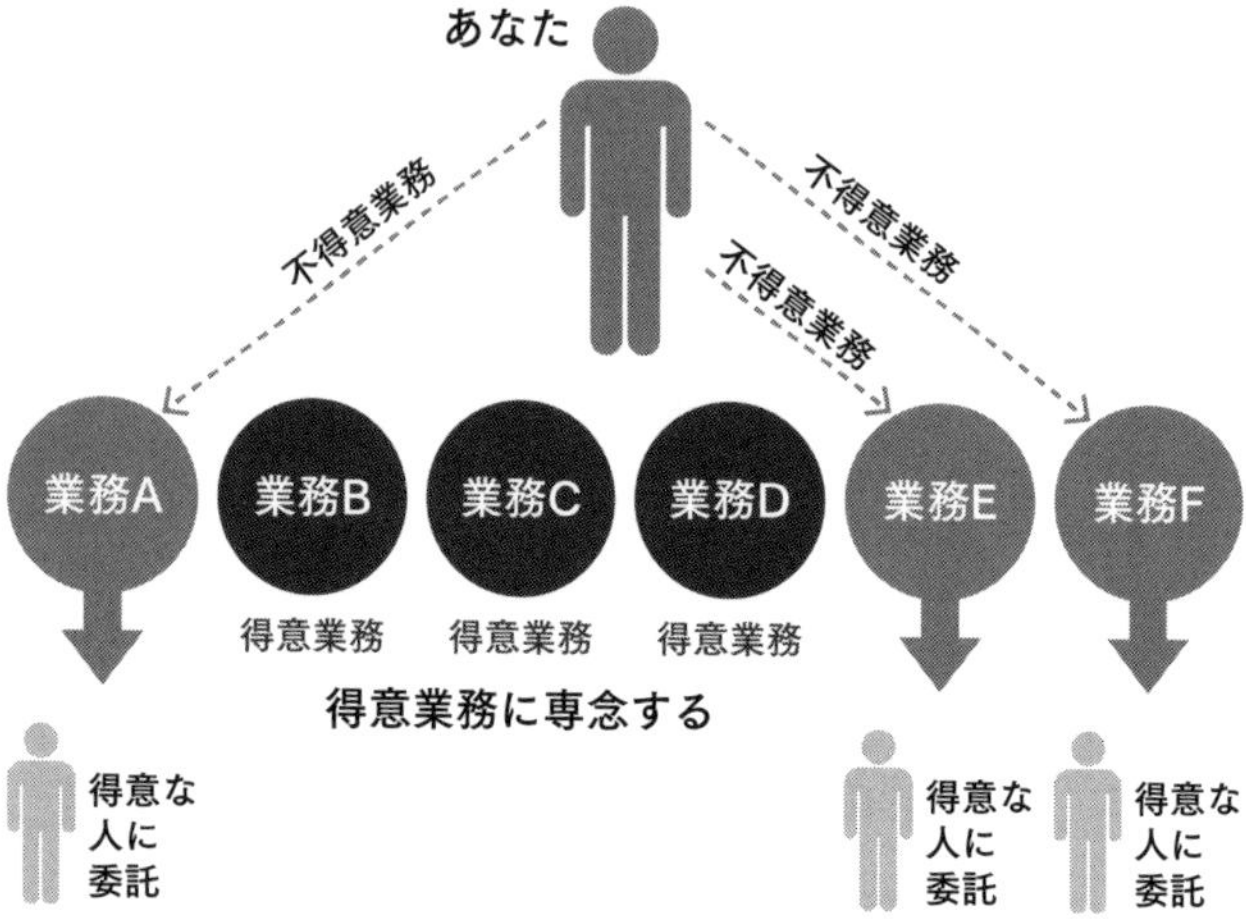

心理的にも抵抗感があって仕事が遅くなったり、成果が出なかったりとパフォーマンスを下げる要因になります。この部分を「チームランス」で分業するのです。

苦手なことをしなくてすみ、得意なことだけにフォーカスできるようになれば、個人のパフォーマンスも上がり、チーム全体としても相乗効果が発揮され、売上アップにつながります。

また、得意なことだけやればいいという状態を作れば、今までは苦手なことに対して負担感があることで案件数も制限

していたところから脱却することができるので、案件数も多く引き受けることが可能になります。それはすなわち、売上アップにつながるのです。

ビジネスの世界では「実績」がとても重要視されます。実績というのは様々な指標で判断されますが、その中でも特に**「数」が最も大事な指標**です。どれだけ多くの人数、案件数をこなしてきたのかを見られるということです。

「相談件数実績10名」の人と「相談件数実績１０００名」の人であれば、絶対に後者に相談したいと思うのが自然ですよね。

少しでも実績数を伸ばすためにも、このようなチームでの分業体制を敷いて、案件数をたくさんこなせる状態を作ることは重要だと私は考えます。

戦略④「プラットフォーム」で稼ぐ
↓チームの価値が上がれば、チームに入りたい人も増えて一大経済圏ができる

次にご紹介するのは、チームランスにすることで「プラットフォーム」を形成し、売上アップを図る方法です。

他の戦略よりも、より発展的で高度な考え方なので少し難しいかもしれませんが、考え方がわかれば、非常に大きなビジネスに発展するモデルです。

一般的な意味として「プラットフォーム」とは、**「利用者と生産者など異なるグループや要素を仲介し、結びつけることでネットワークを構築する」**というような意味になります。GoogleやFacebook、楽天などが展開しているビジネスモデルが、まさにプラットフォーム型のビジネスモデルです。

チームランスで言えば、**「チームを介して、ビジネスのマッチングや新たな事業発展**

図7-3 「戦略④『プラットフォーム』で稼ぐ」

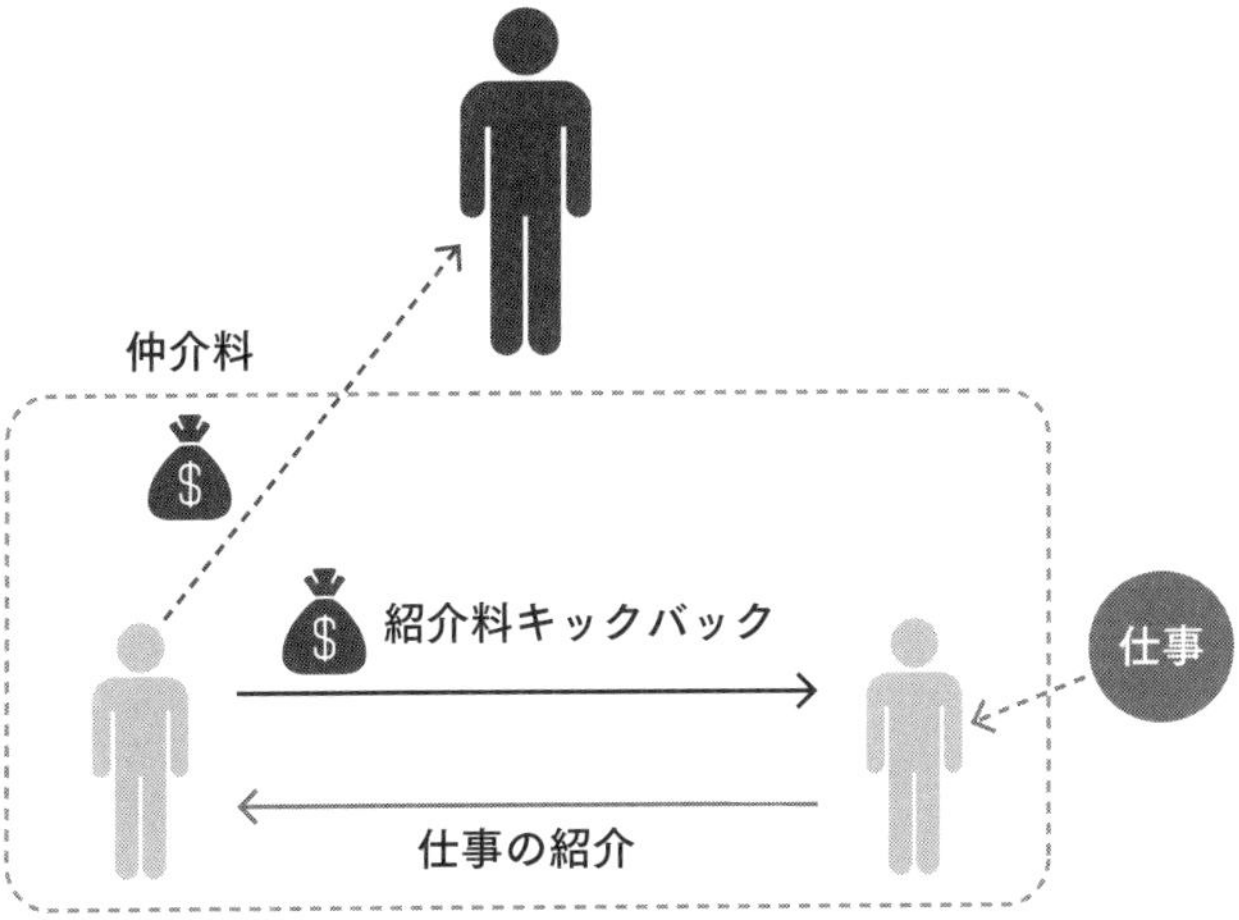

を支援することで、チームランスの運営元が収益を得る」のがプラットフォーム型戦略です。

具体例でお伝えしましょう。私が手がけているチームランスは、チームでコンサルティングやその他サービスを展開しながら、チームの中での案件紹介のマッチングを仲介することでも収益化するようなビジネスモデルにしています。

たとえば、転職相談を行なっているAさんというチームメンバーがいます。そのAさんが活動している中で出会ったBさんという方が、「資産運用についても検討している」というニーズがあったとすると、チームランスのメンバー内で資産運用のアドバイスをしているファイナンシャルプランナーのCさんをマッチングしたとします。

これでCさんのサービスが、Bさんと契約成立して売上が発生した場合、Bさんを紹介してくれたAさんだけでなく、このチームランスを運営している私にも報酬が入ってくるというような仕組みにしています。

このプラットフォーム型のモデルが成立する裏側には、様々な理由が存在します。まず、チームランス内にいるメンバーにとっては、**「仕事が安定的に獲得できるようになりたい」というニーズが存在**します。

フリーランス、起業家にとって仕事が取れるか取れないかというのは、フリーランス生命を左右するとても大きな問題です。どうにかして仕事が取れる方法はないかと常に考えています。

フリーランス、起業家にとって、「集客」とは一生ついて回る問題ですので、そこを担えることができれば、それもまたキャッシュポイントになるわけです。

自分ひとりで集客するのは大変なので、「このチームランス内にいれば仕事が回ってくる」という仕組みにすれば、チームランスに加盟する動機づけになります。

また顧客側の視点で考えてみると、**「誰でもいいわけではなく、信頼できる人からサービスを買いたい」というニーズ**があります。昨今の消費者は、ひと昔とは考え方が変わってきていると言われています。学び、経験を積み、用心深くなっています。

なかでも最大の変化は、以前よりもずっと**「つながり」を重視するようになった**ことでしょう。つまり、消費者は気に入っていて、信頼している相手から買いたがるのです。

商品そのものや価格など、購入の判断材料として大きな差がない場合、実際に買ってもらえる、あるいは知り合いを紹介してもらえるのは、目の前の相手の心を掴んだ人間なのです。

チームランス内での信用信頼しているメンバーを紹介してもらえれば、顧客としても安心して購入できるということが、こういった理由から考えられるのです。

ＡＩの台頭やＷｅｂ３・０といくら騒がれたとしても、ハイテク化が進めば進むほど、人間臭いつながりの重要性は増してくるのです。**いくら便利になったとしても、結局は人間的な部分で人は購入を決定するので、すべてがＷｅｂ上での関係で終わるとは考えにくい**のです。

こういったことから、チームランスを作ることによって、サービス提供者側のチームメンバーを拡大し、さらには顧客のネットワークをどんどん拡大することによって、チーム全体の価値がさらに上がっていきます。

それはつまり、このチームランスで一緒に仕事をしたいと考えるフリーランスを引き寄せる要因となるので、またチームが拡大する……という連鎖が起きるということです。

「このチームにいれば、仕事は回ってくる」
「このチームに相談すれば、自分の様々な課題が解決される」

そういった価値を生み出すことができれば、このチームの中だけでしっかりと経済が回る、一大経済圏を作り上げることができるのです。

＊

さて、チームランスを機能させて売上アップする戦略についていくつかご紹介しましたが、いかがでしたでしょうか。

たったひとりで活動するのではなく、チームにすることで、あなた自身にもチームメンバーにとっても、そしてサービスを提供されるお客様にとってもメリットの大きなビジネスモデルになるというのは想像できたでしょうか。

チームランスにすることによって、あなたの売上は青天井で拡大できます。ぜひ参考にしていただき、あなただけのチームランスで最大の成果を作り上げてください。

あとがき——ひとりではできないことも、皆でやれば必ずできる！

本書を手にとって最後まで読み進めていただき、ありがとうございます。

この本に出会ったことで、あなたのフリーランス、起業家としての新たなステージへ加速するヒントを得ていただけましたら、著者としてとても嬉しいです。


本書でお伝えしたような「チームランス」という考え方やビジネスモデルを導入する前の私は、本当にひとり、孤独と闘っていたように思います。

「独立・起業したのだから、ひとりで好きにビジネスをしたらいい」

「人と一緒に仕事をするなんて面倒臭い」

「チームで仕事をするなんて、うまくいくわけがない」

などと、チームで仕事をすることにむしろ否定派の人間でした。

幼少期もチームスポーツをやっていたわけでもなく、会社員時代には上司との人間関係でトラブルもあり、むしろ人と何か一緒にやることに抵抗感を感じていたほどの人間です。

ある程度のことはなんでも器用にこなすこともできるので、「誰の力も借りなくていい」とすら思っていました。

そんな私が変わったのは、人の支えがあったからでした。

私は、新しいことを企画・実行することや最前線で人を導くことは得意なのですが、細かな事務的な仕事や丁寧なフォローなどはどちらかというと苦手です。

そういったところが課題感としてはあり、「どうにかしないといずれ大きな問題となる」とは頭の片隅では思っていました。

そんな苦手な部分で私がつまずいたところを、自分にはない才能やスキルを持った人たちが、そっと支えてくれたのです。

はじめは本当に驚きました。自分ひとりでは頭を抱えていたことも、他の人の手を借りれば一瞬にして解決したのです。

ひとり悶々としていた悩みから解放された私は、「チームランス」という働き方に、すっかり虜になってしまったのでした。

私は「チームランス」という働き方に大きな可能性を感じています。

私自身が仕事のやり方の概念が１８０度変わったように、たくさんのフリーランスの方にも、この新しい働き方で自分のビジネスを大きく飛躍させてほしいと願って本書を書きました。

これからますます変化の大きな時代に突入し、さらに働き方は多様化してくるでしょう。より一層自分の力で食っていける人材しか生き残れない、厳しい環境になるのは明白です。

そんな環境下でも、この「チームランス」という働き方をしていけば、あなたも、そしてあなたの大切な仲間も守れると私は確信しています。

ひとりではできないことも、皆でやれば必ずできる！

山本佳典

読者限定　無料特典

社員ゼロで1億円を生み出す！
最強チーム作りWebセミナー（参加費無料）

本書をお求めいただいた読者の方に、「限定Webセミナー」をご用意いたしました。

ページの都合上、泣く泣くカットしたより具体的なノウハウもありますので、この機会にお伝えできればと思っております。

＜最強チーム作りWebセミナーの内容の一部＞

○ 「ひとり起業」「チームランス」のビジネスモデル徹底比較
○ 手っ取り早くチームで売上を上げる、はじめの一歩
○ チーム作りに必須のスキル「プランニングスキル」とは
○ 弊社チームランスでの具体的成功事例紹介
○ 最強チーム作りの基本「フランチャイズ/協会ビジネス」の構築法
○ 働く時間を減らして億を生み出すロードマップ公開

…など

上記QRコードより「社員ゼロで1億円を生み出す！最強チーム作りWebセミナー」にお申し込みください。参加費は無料ですので、お気軽にエントリーしてみてください。

［著者］

山本佳典（やまもと・よしのり）

株式会社エス・プロモーション　代表取締役
株式会社REVERITAS　代表取締役

平成元年岡山県津山市生まれ。同志社大学経済学部卒業。卒業後、株式会社三井住友銀行に入行。延べ2,000名以上、総預資産100億円超のVIP顧客を担当。入社1年目から営業成績No.1の全国表彰。独立後、独立起業のプロデュースを業務内容とする会社を設立。独立起業支援実績延べ2,000名以上。たった1年でフランチャイズ事業は60社加盟に成功、正社員ゼロのフリーランス組織200名超をマネジメントし、起業後5年でグループ年商5億円を突破。

日本テレビ『NEWアベレージピープル』や新聞、Yahoo!ニュース、ダイヤモンドオンラインなどメディア出演30社超。また、経済産業省認定「起業家教育協力事業者」として京都大学、同志社大学、関西大学等の大学から公立中学高校にて特別講師としての講演実績もある。

著書に、『これからは入社5年経ったら、もう独立起業しなさい！』(みらいパブリッシング)、『13歳のきみに伝えたい本当に必要な7つの才能』（彩流社）がある。


社員ゼロで1億円を生み出す　最強の稼ぎ方

2023年　2月　19日　初版発行

著　　者　山本佳典
発 行 者　石野栄一
発 行 所　明日香出版社
〒112-0005　東京都文京区水道2-11-5
電話　03-5395-7650（代表）
https://www.asuka-g.co.jp

印刷・製本　シナノ印刷株式会社

ISBN 978-4-7569-2250-2

ISBN978-4-7569-2242-7

DAO《ダオ》［分散型自律組織］の衝撃
Web3時代のまったく新しい組織と働き方

小澤 隆博 著

四六判　232ページ
本　体　1600円＋税

DAO（＝分散型自律組織）は、既存の会社組織や私たちの働き方を根底から変えると言われています。そこで本書は、Web３の本質やブロックチェーン技術はもちろん、DAOの参加方法、作り方と運営方法までを徹底解説します。